通勤大学MBA 7

ストラテジー

明治大学専門職大学院 グローバル・ビジネス研究科教授
青井倫一＝監修
Michikazu Aoi

グローバルタスクフォース(株)＝編著
GLOBAL TASKFORCE K.K.

通勤大学文庫
STUDY WHILE COMMUTING
総合法令出版

まえがき

■才能の時代へ向けて　～自己武装のすすめ～

現在、日本経済は大きな転換期を迎えています。経済の成熟化、少子高齢化、グローバル化等の環境変化の中、今までの経済の仕組みが機能しなくなっています。企業も生き残りをかけて、経営を見直し、事業の再構築（リストラクチャリング）を行っている中で、『勝ち組』と『負け組』が選別されつつあります。ビジネスマンにとっても同様で、これからは『既存の組織の中でも生き残れない層』と『どの会社においても必要とされ活躍する層』と二つに振り分けられます。つまり、個人においても『勝ち組』と『負け組』と命運が分かれるようになるのです。しかし、マイナス思考で考えるのではなく、前者の層は「生き残るためには何をすべきか」を考え、後者の層は、ますますWar for Talent（才能の獲得戦争）時代の主役として、自己を磨いて継続的に武装を強化し、広くビジネスの世界で通用するスキルを身につけることが重要であると考えます。

■なぜＭＢＡにおけるストラテジー（経営戦略）を学ぶのか　～世界のビジネスマンの共通言語であるストラテジー～

本書で取り上げるテーマである「ストラテジー」（経営戦略）は、ＭＢＡコースの代表的な必須科目であり、広くグローバルビジネスの世界においても共通言語となっています。ストラテジー（経営戦略）という共通言語は、何も取締役等の経営陣や経営企画部などの担当者だけが必要なものでなく、広く営業部を始めとして、研究開発部、生産部、経理部、財務部などすべての部署における担当者にとって必要不可欠なものです。

自社が現在及び将来においてどのような方向性を目指し、今後どのような方策によって成長しようとしているのか、その中で自分の担うべき役割は何かを理解することは非常に重要なことです。また、自社の競合相手の戦略を熟知し、それに対抗する方策を検討することは、全社レベルで必要なことはもちろんですが、個々の部署レベルにおいても必要なことであるといえます。社員がこのような重要な視点を持っている企業と持っていない企業では、企業の業績に差が生じるでしょう。なぜなら、日々の社員の思考やグループ議論において深みに差が出てくるからです。現実的な問題に対する共通の解を得るためには、ビジネス上における共通の認識と言語を持つことがスタート地点となります。自社の製品しか知らない営業マンが、他社製品を利用している顧客を説得し自社製品を販売することはできません。また、「圧倒的に自社製品のほうがコストも安く、品質もよいのにかかわらず自社製品を採用してくれないのはなぜか？」といった、日常起こり得るケースにおいて、単純に自社製品のメリットを推すだけでは成功しないことも多々あります。これらを理解するためには、深く自社だけでなく、顧客、顧客のクライアント、株主、事業環境等を熟知し、分析した上で提案する必要があります。

また、ストラテジー（経営戦略）は、ＭＢＡコースのカリキュラムの中でも最も重要な科目の一つとして位置づけられています。「マーケティング」、「アカウンティング（会計）」、「ファイナンス（財務）」「人的資源管理と組織行動」などＭＢＡプログラムの必須科目のなかでもストラテジー（経営戦略）は、これら個々の必須科目の知識やスキルを統合して考えるべき統合科目的性格を持っているためです。

■本書の目的と対象者

本書を読んでいただく対象となる方は、どの世界でも通用する生きたビジネスの法則と理論を結びつけて、自分自身の市場価値向上につなげることを目指すビジネスマンです。決してストラテジー（経営戦略）の仕事に携わる方だけでなく、営業部、生産部、経理部、などあらゆる職種で活躍されているビジネスマンが本書の対象者です。その方々が経営戦略に関する基礎知識と実践での活用方法を学ぶことによって、戦略立案能力とそれに基づいた思考および行動が身につくことを目的としており、さらにはそれを共通言語として会社での議論に深みを持たせ、ビジネスの成功確率を上げることを目的としています。

実際、前向きなビジネスマンほど時間がなく、通勤時間が唯一の自由時間である場合も多いといえますが、電車の中で読むのに適したサイズの有用なビジネス書は数が限られています。本書は、今まで分厚いビジネス書を買ってはみたが、時間がないために1章しか読まずに本棚にしまっていた方が、通勤時間、待ち合わせ時間などの細切れ時間を利用できることを前提に、わかりやすくしかもコンパクトに書かれています。

■本書の構成

本書は、経営戦略の策定プロセスの順序に沿う形で、構成をしています。経営戦略の策定プロセスは、①**経営環境の把握**→②**事業ドメインの確立**→③**事業の選択（成長戦略）**→④**事業戦略の確立（競争戦略）**→⑤**戦略実行とコントロール**という五つの順序がありますので、本書もその順序に沿う形で構成されています。

第1章「経営戦略とは何か」では、なぜストラテジー（経営戦略）が必要かというのを踏まえた上で、ストラテジー（経営戦略）の定義を行います。またストラテジー（経営戦略）の上位概念としての経営理念を明らかにし、経営戦略策定プロセスについて見ていきます。第2章からはこの策定プロセスの順序に沿ってそれぞれのステップを詳細に説明していきます。

第2章「経営環境の把握」では、企業を取り巻く外部環境と自社自身である内部環境の分析を押さえます。外部環境については、マクロ環境といわれる政治的環境、経済的環境、社会的環境、技術的環境と、ミクロ環境といわれる顧客、競合、市場について押さえます。また自社自身である内部環境として分析するポイントを学びます。そして内部環境において強み（S）と弱み（W）を抽出し、外部環境において機会（O）と脅威（T）を抽出し、環境分析から戦略を導く手法であるSWOT分析について学びます。

第3章「事業ドメインの確立」では、第2章の環境分析を踏まえて、企業の事業範囲を定義する事業ドメインの確立について学習していきます。そして、事業ドメイン確立の際の顧客グループ、顧客ニーズ、独自技術という三つの軸について見ていきます。

第4章「成長戦略」では、第三のステップである事業の選択（成長戦略）について学習します。まず個別の事業における戦略を考える前に、全社的観点から、今後どのような市場で成長していくかを考えていきます。そして事業のポートフォリオを考え、企業全体の中における経営資源の有効的配分について学習していきます。

第5章「競争戦略」では、第4章の全社的な成長戦略をうけて、個別事業ごとの事業戦略（競争戦略）について学習していきます。個別企業ごとの戦略であるため、市場、顧客、競合を明確に認識し、いかに競合に対して差別的優位性を確立して自社のポジショニングを形成し、高い収益を確保していくかということを学んでいきます。本書では、特にストラテジー（経営戦略）の仕事に携わる方だけでなく、営業部、生産部、経理部、などあらゆる職種で活躍されているビジネスマンを対象にしています。そのため、本書はこのような方にとってより実践に近いイメージとコンセプトを理解いただけるよう、本章を深く掘り下げて解説しています。

戦略を策定していただけでは単なる絵に描いたもちに過ぎません。**第6章「戦略実行とコントロール」**では、現実的な戦略の実行の際に考慮しなければならない組織、システム、価値観、スキル、人材、経営スタイルについて学習していきます。また、実行の後のコントロールにおいて、成果を測定評価し、次の戦略策定や計画にフィードバックさせ、次回以降の戦略策定に活かしていくことの重要性を学習します。

また、レイアウトについては、見やすさに配慮して図を入れ、見開き二ページでひとつのテーマが完結するようまとめてありますので、どの章から始められても理解ができるようにレイアウトされています。しかし、やはりMBAを学ぶ最も重要な意義は「体系的」に理解をすることにありますので、虫食いにならないよう、順番にマスターしていくことができると最大限の学習効果を上げることができます。

■謝辞

本書の出版にあたり、様々な方々にご協力をいただきました。まず、監修において貴重なアドバイスを頂戴した元慶応ビジネススクール校長で現在は明治大学専門職大学院グローバル・ビジネス研究科に移られた青井倫一教授に深くお礼を申し上げます。そして、出版に当たり、貴重な助言を頂戴した総合法令出版の代表取締役仁部亨氏、高橋毅氏、竹下祐治氏に感謝の意を表します。また貴重な助言を下さったWilliam Archer氏、後藤真矢氏に感謝します。

通勤大学MBA7

ストラテジー

■目次■

まえがき

第1章　経営戦略とは何か

第2章　経営環境の把握

第3章 事業ドメインの確立

第4章　成長戦略

第5章　競争戦略

第6章　戦略実行とコントロール

1. 戦略の実行

2. 戦略のコントロール

第1章
経営戦略とは何か

第1節では、経営戦略の定義を明確にした上で、なぜ経営戦略が必要かを述べます。その後、経営戦略における、三つの異なる戦略のレベル、「企業戦略」、「事業戦略」、そして「機能別戦略」について学習します。

第2節では、企業の経営戦略上、意思決定の指針となる「経営理念」について学習します。いかに、経営理念が企業経営を行っていく上での拠りどころとして重要か、そして、それらが企業において、どのような役割を果たしているかを見ていきます。

第3節では、経営戦略策定・実行プロセスについて学びます。経営戦略策定・実行は、①経営環境の把握→②事業ドメインの確立→③事業の選択（成長戦略）→④事業戦略の確立（競争戦略）→⑤戦略実行とコントロールという五つの順序を経て行われます。第2章以降はこのステップに従って進んでいきますので、確実に理解をするよう心がけてください。

経営戦略とは何か

◉第1章

1．経営戦略の定義

1-1 経営戦略とは何か

戦略とは、もともとは軍事用語で、「大局的見地から敵を打ち負かす方法」という意味を持っています。これを企業経営における経営に置き換えて定義すると、「長期的な視点で経営活動の基本的な方向づけを行うこと」ということができます。具体的には、以下の四つの内容が挙げられます。

①自社を取り巻く経営環境を分析し企業として対応すること

企業を取り巻く市場・顧客や競争業者などの外部環境、あるいは自社の経営資源などの内部環境における変化を察知してそれに適切に対応すること。

②成長のための事業分野を選択すること

長期的に企業が成長するために、目先の現象のみにとらわれることなく、大きな方向性の下で成長する事業分野を模索し、製品・市場の分野を決定し、また既存事業との関わり

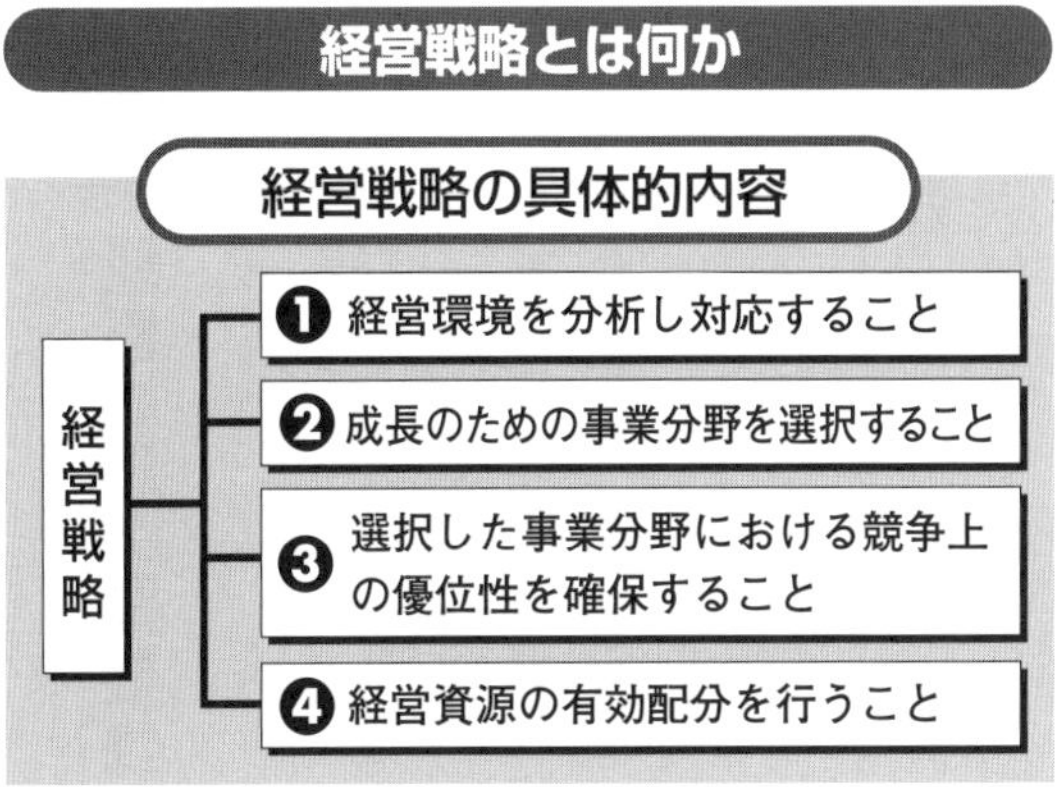
経営戦略とは何か
経営戦略の具体的内容
経営戦略
❶経営環境を分析し対応すること
❷成長のための事業分野を選択すること
❸選択した事業分野における競争上の優位性を確保すること
❹経営資源の有効配分を行うこと

を検討すること。

③選択した事業分野における競争上の優位性を確保すること

選択された各々の事業分野において、いかに競合他社との持続的な競争優位性を構築するかを検討すること。

④経営資源の有効配分を行うこと

限られた自社のヒト、モノ、カネ、ノウハウ、情報などの貴重な経営資源を各事業分野にどのように配分するかを決定すること。

1-2 経営戦略の重要性

企業は株主のものであり、その株主価値の最大化のために常に成長・存続し続けていかなければならない使命があります。

しかし企業を取り巻く企業環境は、情報技術の急速な発展や世界全体が一つの市場で戦う大競争時代の到来等、ダイナミックかつスピーディーに変化しています。この劇的な変化の下、企業は成長もしくは存続していかなければなりません。いかに環境の変化に対応し、経営の舵取りをしていくかによって、企業の命運が分かれるといえます。

その舵を取る際、航海図がなければ船は航海できません。経営とは目標に向かう航海であり、戦略は航海図の役割を果たし、経営上の意思決定の指針となります。とるべき戦略が間違っていれば、それに従って実行される実行段階でのオペレーションも間違っていることになります。つまり戦略が顧客のニーズに合致していなかったり、競争上の優位性が

統合科目としての経営戦略

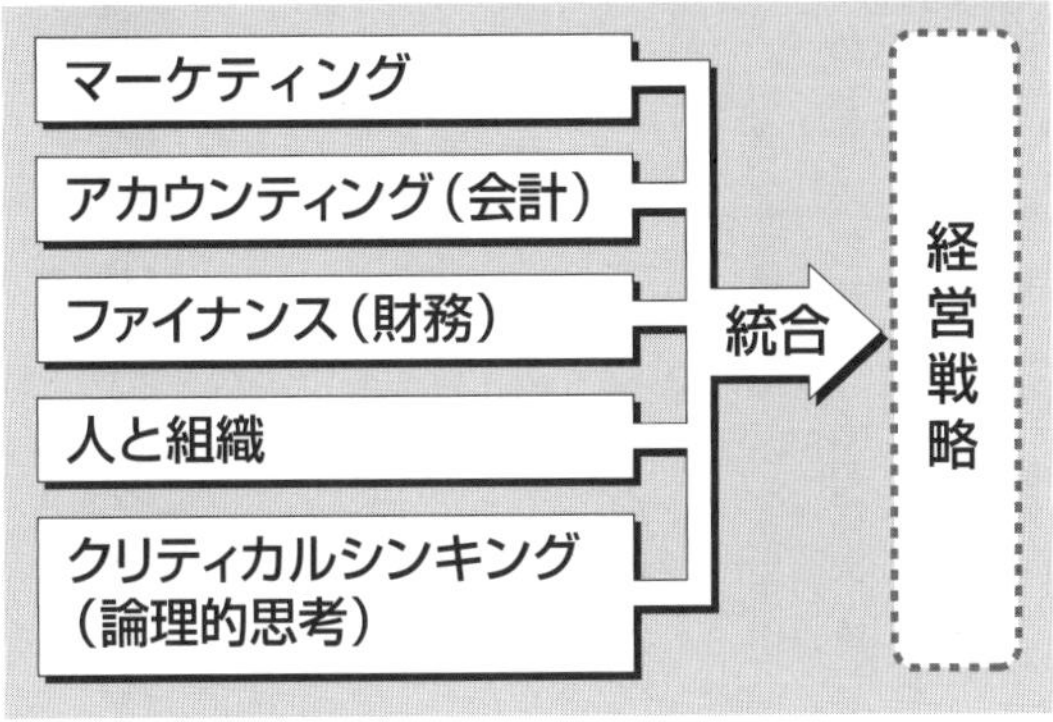

構築されていなければ、それに基づいて実施される製造、営業、マーケティング、販売なども成果は上がらず、企業は成長することができないことになります。

その意味で経営戦略は非常に重要であり、MBAプログラムの中でも、今までに学習してきた「マーケティング」「クリティカルシンキング」「アカウンティング」「コーポレートファイナンス」「ヒューマンリソース」といった科目での知識、経験、思考技術をフルに活用して行う統合的な最重要科目として捉えられています。

1-3 戦略の三つのレベル

今まで経営戦略という言葉を何気なく使用してきましたが、経営戦略という言葉はいろいろなレベルで使われます。人事部、財務部、生産部など機能別の戦略から、パソコン事業、家電事業、など事業別の戦略、さらには全社的な戦略という意味で使われたりします。

経営戦略には以下のような三つのレベルがあります。

①企業戦略（Corporate Strategy）

多くの事業部を抱えている多角化企業は、個々の事業における戦略を考えるだけでなく、企業全体としての舵取りを考えなければなりません。例えば、どんなビジネスに参入すべきかを考えたり、事業のポートフォリオや経営資源の有効配分などを検討します。

②事業戦略（Business Strategy）

事業戦略は、個々の事業分野ごとの戦略のことをいいます。企業戦略よりもより鮮明に

経営戦略の3つのレベル

企業戦略 (Corporate Strategy)	企業全体の戦略で全社的な事業の選択や経営資源の配分が中心となる
事業戦略 (Business Strategy)	個々の事業分野ごとの戦略で、特定市場における競争優位性の確保が主題となる
機能別戦略 (Functional Strategy)	事業戦略を具現化するための各職能分野ごとの戦略

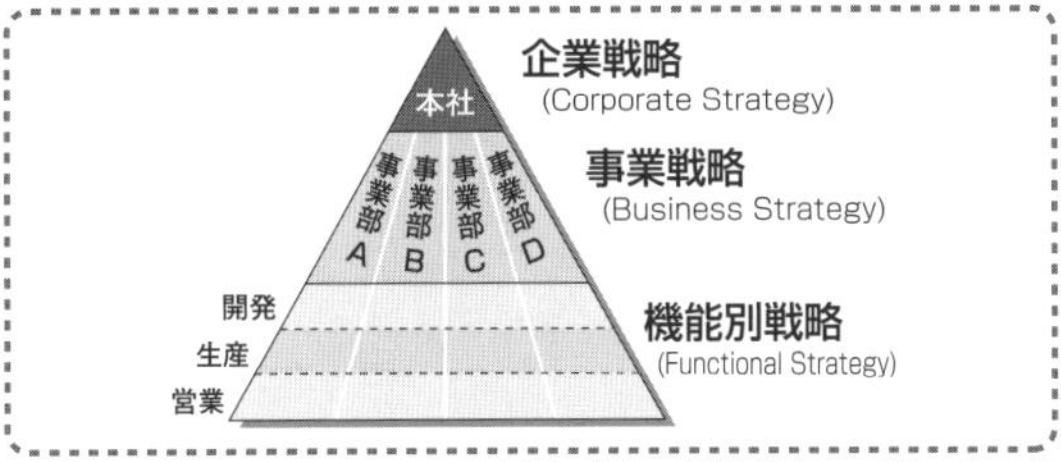

（出所）：グロービス・マネジメント・インスティテュート編、相葉宏二著『MBA経営戦略』ダイヤモンド社.1999年、11頁

標的とする市場や競合相手が見えてくるので、それらを分析し、具体的にその市場のニーズを満たす方策や競合相手との差別的優位性の構築方法などを検討することができます。

③機能別戦略（Functional Strategy）

　機能別戦略とは、事業戦略をさらに事業部の各部門に落とし込んだものであるといえます。例えば、研究開発部、人事部、財務部、経理部、生産部、マーケティング部などの職能分野ごとの戦略です。

　当然、この三つのレベルの戦略は、首尾一貫性があり、整合性が取れていなければなりません。

2-1 経営理念① 経営戦略の上位概念としての経営理念

経営戦略の目的は、企業の意思決定の指針となることですが、企業には経営戦略以外にも指針となるものがあります。それは、経営理念といわれるものです。

経営理念は、企業経営を行っていく上での活動の拠りどころ、指針を与えるものです。企業がどのように行動し活動していったらよいかを示すのが経営理念です。経営理念は、経営戦略策定の際の前提となるもので、経営戦略の上位概念として位置づけられます。

また、それによく似た言葉で、ミッションやビジョンという言葉があります。

ミッションとは、直訳すると「使命」という意味になります。企業が社会において何のために存在し、何を行っていくべきなのか、その使命すなわち存在価値を表します。具体的には、化粧品会社であれば、「我々は、世界のより多くの方へ健康と美容の提供を行います」とか、ホテル業であれば、「日常を離れた、一時の安らぎを皆様に提供していきます」

経営理念

経営理念	企業経営を行う上での活動の拠りどころ。経営戦略の前提となるもの
経営戦略	経営理念に基づいた企業活動の長期的方向づけ

などです。

一方、ビジョンとは、「将来への展望」を意味し、その企業の目指す将来の具体的な姿を示します。具体的には、「健康と美容の研究・開発・製造を、欧米・アジアを中心に世界各国の店舗を経営しつつ、提供する事業を行います」というものが考えられます。

ジム・コリンズとジェリー・ポラスは、ビジョンに富む企業（ビジョナリーカンパニー）の研究において、企業のビジョンは、①コアとなる価値観、②コアとなる目的、③大胆なゴール、という三つの要素を含むべきであると述べています。

2-2 経営理念② 経営理念の役割

経営理念は、これらミッション・ビジョンを含む、より大きな概念で使用され、組織の中に理念的な目的を提供し、組織の意思決定や行動についての基本的な考え方や規範を示すものです。ミッションやビジョンを含む経営理念は、経営戦略における第一段階であり、その役割には、以下のものがあります。

①自社の存在意義を社内・社外を問わず、明確にする。
②組織目的の達成のための諸活動を統合し、社内・社外におけるコンフリクト（対立）を防ぐ。
③構成員の一体感や信頼感を醸成し、組織目標のための貢献意欲を高める。
④組織行動や意思決定に指針を与える判断基準機能を有している。
⑤情報伝達の基盤となり、コミュニケーションの円滑化を図る。

などが挙げられます。

経営理念の役割

1. 自社の存在意義を社内・社外を問わず、明確にする
2. 組織目的の達成のための諸活動を統合し、社内・社外におけるコンフリクトを防ぐ
3. 構成員の一体感や信頼感を醸成し、組織目標のための貢献意欲を高める
4. 組織行動や意思決定に指針を与える判断基準機能を有している
5. 情報伝達の基盤となり、コミュニケーションの円滑化を図る

特に経営理念を社員に浸透させ、各々の業務の拠りどころとするためには、社員の共感を得て、鼓舞させるものでなければなりません。社員は、自分の仕事が重要であり、人々の生活に貢献していると感じたいと思っています。そのためには、経営理念は儲けを上げるためのものではないことが重要です。儲けは人々（顧客）に対して何か有益なことを成し遂げた結果であるからです。

例えば肥料の生産という業務について、農業の生産性を高め食糧不足を解消するという大きなくくりで捉えることで、社員に目的意識を与えることができます。

3-1 経営戦略策定・実行プロセス

経営戦略の策定と実行は、以下のプロセスで行います。

①経営環境の把握：その企業が直面している外部環境の機会と脅威の分析と自社の内部環境の分析をＳＷＯＴ分析（後述）を使用して明確化します。

②ドメインの確立：経営理念と経営環境の分析の結果、事業活動の範囲を決定します。

③事業の選択（成長戦略）：市場の変化に適合し、今後どのような市場で成長していくべきかを製品－市場マトリックス（後述）を使って選択します。

④事業戦略の確立（競争戦略）：事業が決定したら、次はその事業の帰属する市場の中で、競合企業に対していかに差別的優位性を確保するかを検討します。

⑤戦略実行・コントロール：戦略実行では、組織や社内システム等考慮すべき事項が多数あることを七つのＳモデル（後述）を使って説明します。また経営成果をフィードバック

経営理念と経営戦略策定プロセス

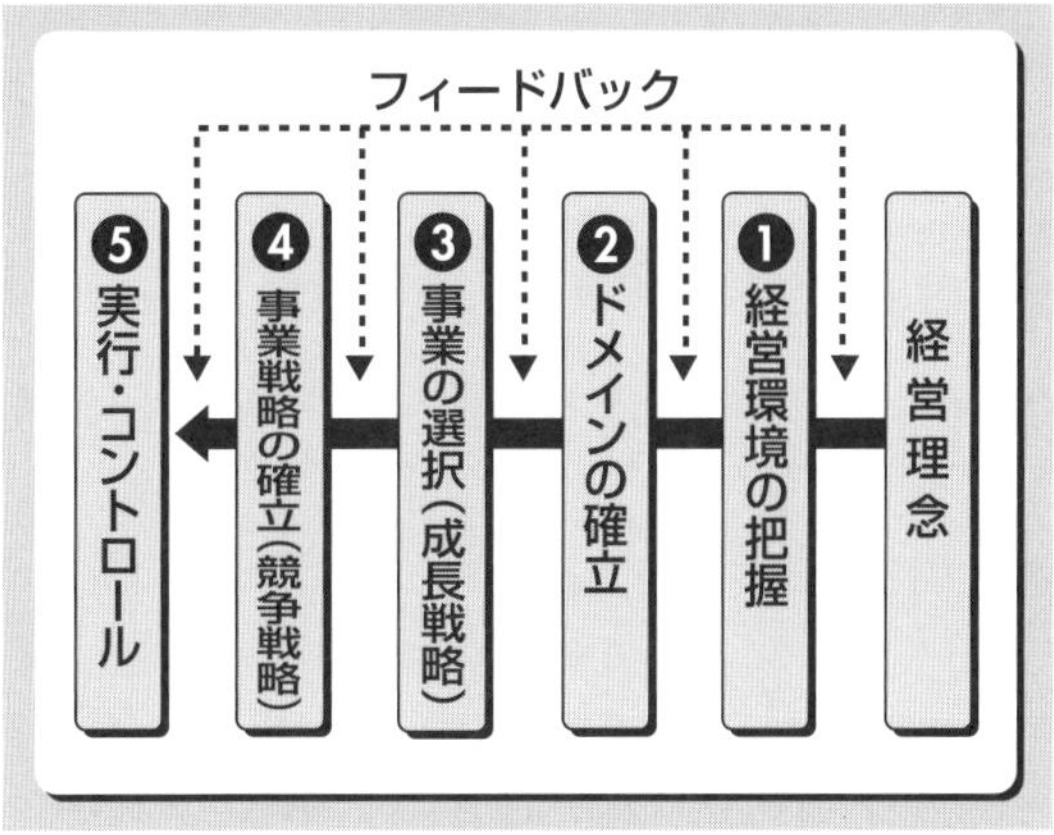

して、戦略の見直しを行います。

以上の五つの手順が、経営戦略の策定・実行プロセスになりますが、忘れていけないのは、大前提として経営理念があることです。そして経営理念も含め、経営環境の把握から戦略実行・コントロールまで一貫性を持つことが重要になってきます。そのためには、このプロセスの中に戦略を伝達するという大事な過程も含まれることになります。

なお、経営理念も新しい環境変化によってその意味が失われている場合や、組織が拡大し新製品や市場が加わることで不明確になっている場合には、見直して戦略との一貫性を保つ必要があります。次章からは、このプロセスに沿って各項目を学習していきます。

第2章
経営環境の把握

本章では、経営戦略策定・実行プロセスにおける第一ステップである経営環境の把握について学習します。

第1節では、経営環境分析の代表的な手法であるSWOT分析について学習します。SWOT分析では、内部環境において強み（S）と弱み（W）を抽出し、外部環境において機会（O）と脅威（T）を抽出し、そこから戦略を導いていく手法について学習します。

第2節では、企業を取り巻く外部環境について詳しく見ていきます。外部環境は大きく分けてマクロ環境とミクロ環境に分類することができます。マクロ環境としては、政治的環境、経済的環境、社会的環境、技術的環境があります。ミクロ環境には、顧客、競合、市場があります。このそれぞれについて内容と分析方法について見ていきます。

第3節では、自社自身である内部環境について学習します。内部分析において自社のどこを分析しなければいけないかを学習します。

1．SWOT分析

1-1 SWOT分析とは

本章以降は、前述した経営戦略策定・実行プロセスに従って一つ一つのプロセスを詳述することにします。本章では、最初のステップである経営環境の把握について学習します。ここでは企業の現在置かれている状況と今後起こりうる環境変化について分析を行いますが、具体的にはどのような分析がされるのでしょうか。

環境分析において、最も代表的な手法の一つに、「ＳＷＯＴ分析」があります。ＳＷＯＴ分析のプロセスでは、まず経営環境を内部環境と外部環境に区分します。そして縦軸に外部環境と内部環境（経営資源）をとり、横軸に好影響と悪影響をとり、マトリックスを作ることで自社の環境を客観的に分析します。マトリックスは以下のとおりになります。

①強み（Strength）：内部環境（自社経営資源）の強み、②弱み（Weakness）：内部環境（自社経営資源）の弱み、③機会（Opportunity）：外部環境（競合、顧客、マクロ環境な

SWOT分析

	好影響	悪影響
外部環境	機会（O）	脅威（T）
内部環境	強み（S）	弱み（W）

	機会（Opportunity）	脅威（Threat）
強み (Strength)	(1)自社の強みで取り込むことができる事業機会は何か	(2)自社の強みで脅威を回避できないか？　他社には脅威でも自社の強みで事業機会にできないか
弱み (Weakness)	(3)自社の弱みで事業機会を取りこぼさないためには何が必要か	(4)脅威と弱みが合わさって最悪の事態を招かないためには

ど）からの機会、④脅威（Threat）：外部環境（競合、顧客、マクロ環境など）からの脅威。

これら四つを整理した上で、さらに上図のようなマトリックスを描き、以下のような〃攻めと守り〃の戦略を具体化していきます。

①自社の強みで取り込むことができる事業機会は何か。②自社の強みで脅威を回避できないか。他社には脅威でも自社の強みで事業機会にできないか。③自社の弱みで事業機会を取りこぼさないためには何が必要か。④脅威と弱みが合わさって最悪の事態を招かないためにはどうすべきか等。

この分析によって具体的戦略課題が明らかになり、事業の進むべき方向性が明確になってきます。

2. 外部環境

2-1 外部環境　マクロ環境①　～PESTとは～

ＳＷＯＴにおいて考慮すべき環境要素には外部環境と内部環境とがあります。

外部環境とは、企業の外側にある環境のことをいい、企業が直接コントロールできないもののことをいいます。

さらに外部環境については、マクロ環境・ミクロ環境に分解されます。ミクロ環境には、顧客、競合、市場がありますが、ここではまず、外部環境におけるマクロ環境を見ていきます。マクロ環境とは、①政治的（Political）環境、②経済的（Economic）環境、③社会的（Social）環境、④技術的（Technological）環境などが考えられます。

この四つのマクロ環境は、それぞれの頭文字を取ってＰＥＳＴ（Political Economic Social Technological）と呼ばれています。

これらの体系的なチェックを行うことによって、将来起こる可能性のある変化を予測し、

外部環境

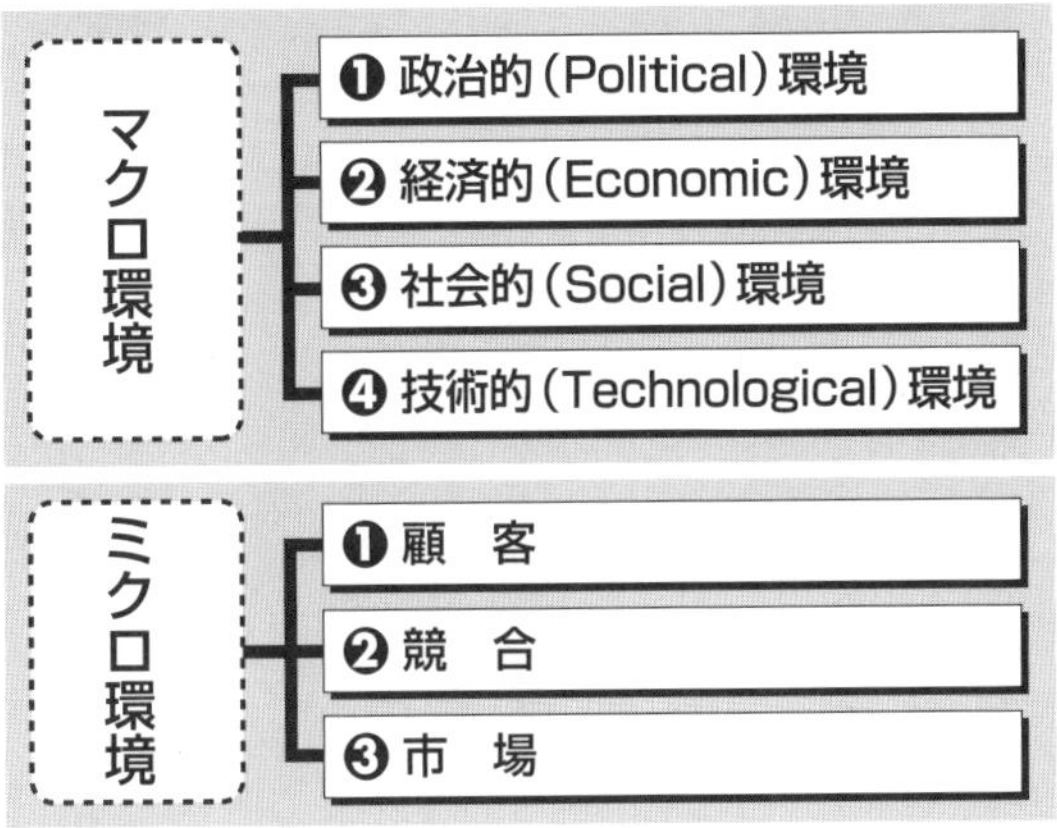

肯定的、否定的なショックを先取りすることができます。すなわち企業にとっての好影響を及ぼしうるもの（機会）と悪影響を及ぼしうるもの（脅威）を整理します。

しかし、あなたの企業に影響を及ぼしうる肯定的、否定的変化のリストを作るだけでは何の役にも立ちません。

ここにおける整理を基に、機会を生かすためには、あるいは脅威を避けるためにはどうしていったらよいのかということを多面的に考え、戦略に落とし込んでいく必要があります。

以下にそれぞれにおける要因が企業にどのような影響を及ぼすかを見ていくことにします。

2-2 外部環境　マクロ環境②
～政治的（Political）環境～

政治的、あるいは法律的環境を見ておくことは重要です。それはその変化が、市場のルールや前提を変えてしまったり、競争の構造を変えてしまったりするからです。

例えば、競合企業同士が連携するなどといったケースがありますが、その際に、監督機関がこれらの動きに直接介入することがあります。その代表例として、適正な競争が行われ、商品及びサービスの価格安定を促すといった動きが挙げられます。例えば英ブリティッシュテレコムと米ＭＣＩ（合併否認）、そしてＪＡＬとＪＡＳの経営統合（条件付承認）など、産業界での競争に重要な影響を及ぼすことが予想される場合、公正取引委員会などの監督機関が介入します。また、様々な環境法が生まれると、ＩＳＯ１４００１などを取り扱う環境コンサルタントや、騒音測定・水質測定を行う企業やそれらの測定機メーカーなどにとっては機会を得ることになります。しかし、今まで環境への対策をおろそかにして

政治的・法律的環境変化の影響

❶ 業界内でのルールや前提を変えてしまう

❷ 新規参入障壁を変えたり、成功をもたらす競争優位の源泉を変えてしまう

❸ ロビー活動などの企業自身による政治的変化の促進で自社を有利に展開させる

いた化学工場などは、測定機器や環境対策の設備の不足などから脅威となりえます。

法改正は、業界の主要な成功要因を変え、競争優位に影響を及ぼします。例えば新規参入障壁を作ったり、崩したりして、業界図に大きな変化をもたらします。

ただ、これらの政治的環境変化は、ときどき予測できることがあります。それは、実行されるずっと前に、政府が新たなアイディアのテストをしている可能性があるからです。また、一部の企業は、有利な変化となるようにロビー活動を行うこともあります。国会での審議や、政府機関の調査レポートなどは、事前に予測しその対応策を検討するための代表的な材料の一つとなります。

2-3 外部環境　マクロ環境③ 〜経済的（Economic）環境〜

経済的環境変化も企業に相当なインパクトを与えることになります。経済的な変化は企業の顧客に価値を提供するプロセスである諸活動（生産活動や販売活動など）に影響を与えます。つまり、経済的なショックによって、業界において当該サービスを効率的に提供するまでの成功プロセスが変わることがあります。

例えば、経済成長または停滞は、業界の製品に対する需要に影響を与えます。インフレ・デフレは企業の投資行動に影響を与えます。円高が企業に及ぼす影響は、輸入企業にとっては、機会を得ることとなりえますが、輸出企業にとっては、脅威をもたらすことになります。さらに、失業のような他の要因も、同様の影響を及ぼします。

例えば、自動車の買い替え需要などのサイクル（循環）は、不景気のときは好景気のときと比較して長くなる傾向があります。また、品質・機能と価格に対するニーズのバラン

経済的（Economic）環境

スに関しても、好景気と不景気時では変化することがあります。

また、輸入バリアのような、マクロ経済的変化の極端なものが、事業そのものを継続できなくすることもあります。

第二次世界大戦後の大きな経済的ショックとしては、一九七〇年代のオイルショック、一九八六年の株式市場の電子取引化、一九九〇年の冷戦の終焉、一九九〇年代前半の金利の上昇、などを挙げることができます。これら大きな変化は、世界的に産業に大きなインパクトを与えました。企業は、常にアンテナを張り、経済動向を見つめていなければなりません。

2-4 外部環境 マクロ環境④ 〜社会的（Social）環境〜

社会的環境には、以下の二つがあります。そしてこの二つは、どちらも産業界の需要の構造に大きな影響を及ぼします。

第一の社会的環境は、人口統計学的環境です。この変化は、特定の種類の製品に対する需要に影響を与えることは当然ですが、経済全体を長期的に考案する指標でもあります。例えば、少子高齢化の進展という環境変化が企業に及ぼす影響は、高齢者を対象としている介護事業にとっては、機会を与えることとなりますが、逆に子供を対象とした教育事業には脅威をもたらすこととなります。また、共働き夫婦の増加は、外食産業・コンビニエンスストアにとっては機会を得ることとなりますが、品揃えが少なく、営業時間も短い個人商店は、脅威となりえます。

第二は、消費者の嗜好です。明らかに、消費者の嗜好に変化が起こる際、それを事前に

社会的（Social）環境の変化

❶ 人口統計学的環境変化

少子化の進展、高齢者の増加、核家族の増加など

❷ 消費者の嗜好の変化

健康志向、余暇の過ごし方の変化、牛肉離れなど

予知している会社は対処する準備ができているといえます。

例えば、一部の経営者やアナリストは、「スターバックス」や「ボディショップ」のような会社は、消費者の嗜好の変化を上手く予知できていたと信じています。その一方で、これらの嗜好の変化を察知できず、「これらの企業が社会の変化を予知するなどできないであろう」、あるいは、「彼らがそれらの変化を創り出すことは不可能である」、と変化を否定し、事業を行っていた企業もありました。変化を否定する企業のすべてが失敗しているわけではありませんが、これらの変化を事前に予知できるかどうかによって、企業の運命が分かれるケースもたくさんあります。

2-5 外部環境　マクロ環境⑤ ～技術的（Technological）環境～

マクロ環境の四つ目は、技術的環境です。技術的環境の変化とは、文字どおり技術的な革新や飛躍的な改善によって起こりえる変化のことをいいます。この変化は、企業のビジネスシステムに影響を与え突然競争の性質を変えてしまうことがあります。

その変化の影響によってコストが減少したり、各システムで付加される価値が向上したりすることがあります。例えば、よりフレキシブルな製造機械により、小さな工場でも単一製品からより広い範囲の製品を作ることができるようになるかもしれません。

またインターネットの普及という技術環境の変化は、通信技術を備え、IT化への対応に積極的な企業には、様々な機会をもたらしますが、旧態依然の企業が、IT化への投資を行わない場合、シェアが知らない間に減少していくという脅威をもたらしえます。さらに、インターネット技術は一等地での高級店舗から、インターネット上のマーケットプレー

技術的（Technological）環境変化の影響

- 既存の優位性の源泉を壊す
- 売り手の交渉力に対抗
- 代替品に対抗
- 参入障壁を壊したり新たに作り出す

スへの代替を可能にするかもしれません。

技術的ショックは、既存の産業にも大きな影響を与えます。既存の通信設備や回線網を使わず、インターネットのインフラや関連機器をベースにした通信により、電話料（通信費）の飛躍的な価格低下や設備投資の低減を図ることができます。このことにより、昔の大がかりで古い設備や通信網など「負の遺産」を持つ伝統的な通信会社は、インターネット技術を中心とするより身軽で技術の更新に対応しやすい新興通信事業者と厳しい競争を強いられることになっています。

2-6 外部環境　顧客分析①
～市場セグメンテーション～

今までで、外部環境におけるマクロ環境について説明してきました。次は、もう一つの外部環境の要素であるミクロ環境を見ていきます。ミクロ環境は、大きく分けると①顧客、②競合、③市場に分類できます。本節では、顧客に関して見ていきます。

顧客の分析は、(1)市場セグメンテーション、(2)顧客の購買動機分析、(3)未充足ニーズ分析という三つに分類することができます。以下で一つひとつを見ていくことにします。

(1)市場セグメンテーション

市場がどのように細分化されているかを分析することは、企業が持続可能な競争優位を構築する際の基礎となります。顧客は、企業により、一般消費者であったり、企業であったり、その他各種団体であったりします。中でも、一般消費者は、多種多様です。そこで、様々な特性を持つ消費者を、同質なものにセグメント化し、セグメント化した様々な市場

顧客のセグメントを識別する基準（セグメンテーション基準）

基準	例
❶ 地理的基準	エリア、人口密度、気候
❷ 人口統計学的基準	年齢、性別、家族構成、職業
❸ 心理学的基準	社会階層、ライフスタイル、性格
❹ 行動基準	購買状況、使用頻度、使用者状態、ロイヤルティ
❺ ベネフィット基準	経済性、品質、サービス

のうちの、どの市場が当該企業にとって、大きな影響を及ぼしうるかを考える必要があります。具体的な消費者のセグメント基準として、①地理的基準（エリア、人口密度、気候）、②人口統計学的基準（年齢、性別、家族構成、職業）、③心理学的基準（社会階層、ライフスタイル、性格）、④行動基準（購買状況、使用頻度、使用者状態、ロイヤルティ）、⑤ベネフィット基準（経済性、品質、サービス）などが考えられます。

　これら変数の評価は、異なる戦略を採用することができるセグメントを認識する上で役立つかどうかを基準に行われます。

2-7 外部環境　顧客分析②
～顧客の購買動機分析～

(2)顧客の購買動機分析

顧客セグメントを識別できたら、次は顧客の購買動機の分析を行います。顧客が製品を購入するのを決断する際、その決断を判断するのにどのようなことを重視しているのかを考えます。それは、当然セグメントによって優先順位は異なってきます。法人顧客と個人顧客では購買動機は通常異なります。これらの購買動機を認識できれば、それに重点においた戦略を考えることができます。

アーカーは、顧客購買動機分析のステップを以下の四つのステップで説明しています。

①購買動機の洗い出し

顧客に対して、グループインタビューあるいは個別インタビューを行うことによって顧客の購買動機を洗い出します。具体的には、なぜその製品を使用しているのか、購買目的

顧客の購買動機分析の4つのステップ

1. 購買動機の洗い出し
↓
2. 購買動機のグループ化と構造化
↓
3. 購買動機の重要性の評価
↓
4. 購買動機への戦略的役割の付加

は何か、好印象・悪印象に関係しているものは何か、などの質問を行います。

②購買動機のグループ化と構造化

顧客から数多く出された購買動機をグルーピング化し、さらにその中にサブグループを作って階層化し、モレやダブリを防いでいきます。

③購買動機の重要性の評価

そして、次は整理された購買動機の相対的な重要性を決定することです。ここで自社で推測するよりも、顧客に質問を実施し、序列付けを行ったほうが確実であるといえます。

④購買動機への戦略的役割の付加

最後に、顧客の購買動機だけでなく、競争上優位性が構築できる購買動機を認識します。

2-8 外部環境　顧客分析③ ～未充足ニーズ分析～

(3)未充足ニーズ分析

顧客分析の三つ目は、未充足ニーズ分析です。未充足ニーズとは、現在存在する製品やサービスによっては未だ満たされていない顧客ニーズのことをいいます。

顧客の未充足ニーズを分析することは非常に重要です。なぜなら未充足ニーズを満たすことができるならば、企業はシェアを増加させたり、新たな市場に参入できたりする機会を得ることができるからです。また顧客の未充足ニーズを満たすことで、既存の製品やサービスで顧客を十分に満足できると思っている競争業者を追いやることを可能にするからです。

未充足ニーズを発見する際も、顧客にグループインタビューあるいは個別インタビューを行うことから始まります。顧客の実際の製品使用経験に基づいた質問を投げかけます。

未充足ニーズを発見するための顧客への質問例

- その製品の不満は何か
- 他の製品と比較してどうか
- 改善すべき点はどこか
- 製品が組み込まれているトータルシステムにはどのような問題があるか

具体的には、その製品にはどんな問題があったか、その製品の不満は何か、他の製品と比較してどうか、改善すべき点はどこか、製品が組み込まれているトータルシステムにはどのような問題があるかという質問を行います。

アーカーは、苦情のモニタリングが重要な役割を果たすことを指摘しています。それの代表的な方法である問題調査（プロブレムリサーチ）は、まず製品に関する潜在的な問題のリストを作成し、その後に、その問題が①重要かどうか、②頻繁に生じるかどうか、③解決策があるかどうか、を顧客に質問して問題の優先順位付けを行います。

2-9 外部環境　競合分析①
～競合相手の特定～

次に、ミクロ環境における競合分析について見ていきます。

競合分析は⑴競合相手の特定化、⑵競合相手の評価という二つのステップで行います。

⑴競合相手の特定化

まずだれが競合相手なのかを認識します。競合相手とは、市場を奪い合う相手のことです。必ずしも顕在的な競合相手だけではなく、潜在的な競合相手についても特定しておく必要があります。M・E・ポーターは、企業の競争上の地位を決める競争要因として、既存の競争業者、新規参入業者、代替品、供給業者、買い手の五つを挙げています。

競合相手の特定化には、顧客の視点からの特定と戦略グループによる特定があります。

まず、顧客の視点から競合を特定する方法について見ていきます。この方法にはさらに二種類の方法があります。一つ目の方法は、顧客がある製品を購入する際に、他にどのよ

競合分析

❶ 競合相手の特定	だれが相手なのかを認識すること
❷ 競合相手の評価	競合相手の資産や能力について評価すること

競合相手の特定のための2つの方法

❶ 顧客の視点による特定

❷ 戦略グループによる特定

うな製品を考慮に入れたか、他のどのような店舗に出向いたかという視点で競合を特定する方法です。もう一つは、顧客に特定の製品の使用場面や用途のリストを作成してもらい、その後それぞれの使用場面において顧客が製品の名前をすべて挙げていく方法です。

次に、競合相手を特定する第二の方法である戦略グループによる特定について見ていきます。戦略グループとは、「過去に類似した競争戦略をとっている（同一の流通チャネルの使用など）、類似した特性（規模など）を持っている、類似した資産と能力（ブランドイメージ、物流能力、研究開発力など）を持つような企業群のことをいいます。

2-10 外部環境　競合分析②
～潜在的競合相手の特定～

競合相手を特定する際、顕在的な競合相手だけでなく、潜在的な競合相手も特定しておく必要があります。アーカーは、将来を見据えた次のような競合相手を予測する必要があることを指摘しています。

①市場拡大

例えば、ある地域において食品スーパーマーケットを展開している企業が、他の地域に本格的に参入してくる場合などです。また、企業向けに販売していた製品を個人向けにも販売することなども該当します。

②製品拡張

カバンを製造・販売している企業が、その製造技術と既存の販売網を活かして靴の製造・販売を始めるなどが該当します。

潜在的な競合相手

1. 市場拡大を狙う競合
2. 製品拡張を狙う競合
3. 垂直的統合を狙う競合
4. 資産・能力の流出を狙う競合
5. 報復あるいは防衛戦略を狙う競合

③垂直的統合

企業が、川上あるいは川下へ進出して機能を統合する場合です。例えば自動車メーカーが部品を外部から調達していたものを内製する（川上への統合）とか、卸売業者が小売店舗を営業する（川下への統合）などが該当します。

④資産・能力の流出

戦略的弱みを持つ既存の小さな競合相手がその弱みを除去できる企業に買収された場合が該当します。それによって小さな業者は強力な競合になります。

⑤報復あるいは防衛戦略

市場参入に驚かされた企業が報復にでてくる場合などが該当します。

2-11 外部環境　競合分析③ ～競合相手の評価1～

(2)競合相手の評価

競合相手を特定することができたら、次はその競合相手の評価を行います。アーカーは、競合相手の評価について、次の八つの視点において評価することを指摘しています。

①規模、成長性、収益性

売上・市場シェアの規模、成長性、あるいは企業の収益性は、競合相手の経営戦略の巧拙を反映しているといえます。規模、成長性、収益性が良好な場合は、戦略が成功していることを示しています。また一般的に組織力、財務力など実行において必要な経営資源が備わっているといえます。一方良好でない場合は、一般的に逆のケースが考えられます。

②イメージとポジショニング

ボルボの耐久性などのように、企業のイメージや市場でのポジショニングについて見き

競合相手の評価における8つの視点

1. 規模、成長性、収益性
2. イメージとポジショニング
3. 目標とコミットメント
4. 競合相手の現在の戦略と過去の戦略
5. 競合相手の組織と企業文化
6. コスト構造
7. 撤退障壁
8. 弱みと強み

（出所）：D.A.アーカー著、今枝昌宏訳『戦略立案ハンドブック』東洋経済新報社.2002年、96頁を参考に作成

わめることは重要です。なぜなら、これらに競合相手の強みがあれば、その強みを上回るかそれともそれを回避するような自社のポジションを探すことが求められ、一方競合に弱みがあれば、自社の競争優位性構築の機会になるからです。

③目標とコミットメント

　競合の目標やコミットメントを知ることによって、競合の将来の戦略が予測できる可能性があります。市場シェア、売上の成長率および収益性といった財務目標を知ることができれば、競合相手のその事業における意欲を推測できます。また技術的なリーダーになりたいなどの非財務的目標を察知できれば、競合の将来の戦略を推測することができます。

2-12 外部環境　競合分析④ ～競合相手の評価2～

競合相手の評価における八つの視点からの評価の残り五つを説明します。

④競合相手の現在の戦略と過去の戦略……競合相手の過去および現在の戦略を分析して、行動パターンを認識しておくことは競合の将来の戦略を予測する上で重要となります。また過去に失敗した戦略がある場合については、一般的に将来過去の失敗した戦略に類似した戦略は採用しないようになります。

⑤競合相手の組織と企業文化……競合の組織構造や企業文化などは、戦略の実行と深く関わりがあります。組織構造や企業文化は、実行可能な戦略の範囲を制限するため、これらを把握しておくことで、競合の将来の戦略を読み取れる可能性がでてきます。

⑥コスト構造……競合の固定費や変動費の概要という損益分岐点のレベルを知っておくことは、競合の将来の価格戦略や持続可能性についての予測ができる可能性があります。

競合相手のコスト構造の理解

固定費の総額
変動費率
在　庫
機械、工場などの設備
直接労働者と間接労働者の割合など

⑦撤退障壁……撤退障壁については、競争戦略の箇所で詳述しますが、簡単にいうと企業が業界から撤退したくても、とどまらざるをえなくしている要因のことをいいます。例えば特殊化された資産や高額な固定費などがありますが、これらを分析することで、競合の当該事業へのコミットメント（思い入れ）が把握できる可能性があります。

⑧弱みと強みの評価……競合の強みと弱みを知ることで、その強みを回避したり、あるいは弱みを利用することによって自社の競争的ポジショニングを確立していくことができます。強みと弱みの評価については次項で詳述します。

2-13 外部環境　競合分析⑤
～競合相手の評価3～

前述した競合相手の評価の第八の視点である競合相手の強みと弱みの評価について詳しく見ていきます。競合相手の強みと弱みの評価は、まずその産業において重要な「資産」と「能力」を認識することから始まります。そしてその「資産」と「能力」に基づいて競合相手を評価することになります。

まず、その産業における重要な「資産」と「能力」を認識します。アーカーはその認識方法として次の質問をすることを指摘しています。

①成功している企業のどのような資産・能力が成功に貢献したか、あるいは失敗企業にはどのような資産・能力が欠如していたのか。

②顧客の重要な購買動機は何か。何が顧客にとって本当に重要なのか。

③その製品・サービスの大きな付加価値部分は何か。大きな費用コンポーネントは何か。

競合相手の「資産」と「能力」に関する強みと弱みの分析

1	革新性	製品技術力、新製品開発、特許など
2	製　造	コスト構造、生産能力、従業員の態度とモチベーション、設備など
3	財　務	営業活動からの資金、資金調達能力など
4	経　営	経営者の質、事業に関する知識、文化など
5	マーケティング	ブランド認知、流通、製品特性、顧客サービスなど
6	顧客ベース	市場シェア、規模とロイヤリティなど

（出所）：D.A.アーカー著、今枝昌宏訳『戦略立案ハンドブック』東洋経済新報社.2002年、106頁を参考に作成

④バリューチェーン（企業の価値創造機能の連鎖、詳細は後述）の構成要素を考えてみてそのうちのどの機能が競争優位を生み出す可能性があるか。

その産業において重要な資産・能力を把握したら、競合の資産と能力について、次の六項目について強みと弱みを把握します。

①革新性（製品技術力、新製品開発、特許など）、②製造（コスト構造、生産能力、従業員のモチベーション、設備など）、③財務（営業活動からの資金、資金調達能力など）、④経営（経営者の質、事業に関する知識、文化など）、⑤マーケティング（ブランド認知、流通、製品特性、顧客サービスなど）、⑥顧客ベース（市場シェア、規模とロイヤルティなど）。

2-14 外部環境　市場分析①

外部環境の内のミクロ環境における第三の分析は、市場の分析です。市場分析では、市場とその下位にある市場が魅力的であるか、そしてその市場の今後の動向、キーとなる成功要因などを分析します。具体的には、以下の七つについて分析をしていきます。

①現在の市場規模と潜在的な市場規模

市場とその下に位置づけられる下位市場の分析において一番基本となるものは、市場全体の売上高です。そして市場全体の下位市場の市場規模も把握しておく必要があります。缶飲料市場であれば、コーヒー、お茶、水、炭酸飲料などの下位市場が存在します。市場のダイナミズムが下位市場で起きている場合はきわめて重要になります。また、現在の関連市場の規模に加えて、潜在的な市場も考慮に入れなければなりません。新規の使用、新規ユーザーグループ、現在以上の頻繁な使用による将来の潜在市場規模の拡大を分析しな

市場分析の7項目

1. 現在の市場規模と潜在的な市場規模
2. 市場の成長性
3. 市場の収益性
4. コスト構造
5. 流通システム
6. 市場のトレンド
7. 主要成功要因（KSF:Key Success Factors）

ければなりません。

②市場の成長性

　将来市場がどの程度成長するか、あるいはどの程度縮小するかを分析します。市場が成長すれば、企業は市場のシェアを増加させることなくして多くの売上と利益を獲得できることになります。また市場が成長している場合は需要超過の状態が続くので、価格圧力が少ないといえます。一方、市場が縮小している場合は、供給超過の状態が続くため、市場内の企業が現状の売上を維持しようとして、価格圧力が強くなります。

　次項以降で、七つのうち残りの五つを見ていきます。

2-15 外部環境　市場分析②

③市場の収益性

市場の収益性は市場の魅力度がどれほどのものかということにほかなりません。市場の収益性を判断する際は、市場における平均的な企業がどの程度の収益率であるかを推定します。この分析には、ポーターのファイブフォースモデルを使い、業界を取り巻く五つの競争要因の関係がどうなっているかを分析することにより、市場の収益率を算定します。ポーターのファイブフォースモデルは、第5章において詳述します。

④コスト構造

市場のコスト構造を理解することで、現在と将来の主要な成功要因を把握することができます。まず企業におけるバリューチェーン（企業の価値創造機能の連鎖、詳細は後述）の構成要素の分析を行い、製品・サービスが創造される過程の中で、どの部分で価値が付

流通システムの分析

- チャネルの選択肢
- 新規チャネルの出現可能性
- チャネルパワーの源泉
- チャネルパワーの所有者
- チャネルの今後の動向
- チャネル間の競争　など

加されるのかを探し当てます。なぜなら、主要成功要因は、その価値が付加される活動に関係している場合が多いからです。

また、コスト構造の分析においてもうひとつ考えなければならないことは、経験曲線効果や規模の経済性がどの程度利用できるかを検討することです。それらの利用によりコストが低減し、コスト構造に変化をもたらす可能性があるからです。

⑤流通システム

有効で効率的なチャネルが利用できることは、それ自体が主要成功要因となりえます。従って、チャネルの選択肢、新規チャネル出現の可能性、チャネルにおけるパワーの源泉、チャネルパワーの所有者などを分析します。

2-16 外部環境　市場分析③

⑥市場のトレンド

市場のトレンドを分析することにより、市場の変化と今後重要になる要素が理解できることになります。トレンドを見逃すことは致命傷になりかねないので注意が必要です。しかし留意する点は、持続しない一時的な流行をトレンドと混同してはいけないことです。

⑦主要成功要因（ＫＳＦ：Key Success Factors）

市場分析の総まとめとして、市場における主要成功要因を認識することは一番重要です。主要成功要因とは、企業がその市場において成功するために必要な「資産」と「能力」のことをいいます。その主要成功要因には二種類があります。一つは、戦略上不可欠であり、他社もそれを有するため、それを有することで優位性は構築することはできないが、それがない場合には競争に負け、市場において失敗に終わるものです。もう一つは、戦略的強み

2つの主要成功要因（KSF:Key Success Factors）

競争優位の基礎ではない要因

他社にも備わっているので優位性は構築することはできないが、ない場合には競争に負け、市場において失敗に終わる不可欠な要因

競争優位の基礎となる要因

競合相手にはないその企業にしかない優れた資産・能力で、競争優位性の基礎となる要因

で、その企業が特に優れているものであり、競合相手に勝る資産あるいは能力であり、競争優位性の基礎となるものです。この両方を認識しなければなりません。そして、現在において重要な資産・能力を認識するだけでなく、将来において最も重要になる資産・能力は何かを把握しておかなければなりません。

以上市場分析において重要な七つの要素についてみてきましたが、成長と表裏一体であるリスクについても考えておく必要があります。特に競争上のリスク（参入過多など）、市場変化（主要成功要因の変化、新技術、予想以下の成長率など）、企業上の制約（資源的・流通的制約など）について、事前に認識しておく必要があります。

3-1 内部環境　自社分析①

内部環境分析では、事業機会の探索を行う上で、その企業が所有する経営資源の強みと弱みを明確にします。内部環境の充実状況によっては、戦略の実行の観点から立案できる戦略の範囲が制限されることになります。最終的には、自社の強みを活かし、または弱みを回避したり克服したりして、その組織にふさわしく実行可能な戦略を立案することになります。

まず内部分析においては、財務業績を見る必要があります。財務業績が不十分であれば、現在採用している戦略が変更を必要としていることを意味します。一方財務業績が満足できるものであれば採用している戦略がまだ変更する必要がないことを示しています。ただ、将来の環境変化を予測して、早めに対処するために戦略を見直す必要性がある場合も多く考えられますので、現在の財務業績が満足できるものであっても常に戦略を見直していか

財務業績による自社分析

$$\text{総資産利益率} = \frac{\text{利益}}{\text{総資産}} = \frac{\text{利益}}{\text{売上高}} \times \frac{\text{売上高}}{\text{総資産}}$$

（分解すると）

売上高利益率 × 総資産回転率

総資産利益率は、企業の運用資金全体である総資産を使用してどれだけの利益を稼いだかを表す収益性を総合的に判断する指標

なければなりません。

財務業績の中でも、特に自社の売上高と収益性（利益など）は必ずチェックしておかなければならない項目です。収益性の代表的な指標としては、総資産利益率（ROA＝利益／総資産）があります。総資産利益率は、企業の運用資金全体である総資産を使用してどれだけの利益を産むことができたかを表す指標です。総資産利益率は、売上高利益率（利益／売上高）と総資産回転率（売上高／総資産）に分解することができ、詳細な分析が可能です。この指標を同業種平均や競合と比較したり、過去の自社実績と比較することができます。

3-2 内部環境　自社分析②

内部分析において、財務業績以外ではさまざまなものを挙げることができますが、以下に代表的な項目を列挙します。

①技術力：他社にない生産技術や商品開発力があることなど。
②生産能力：他社より短期間で大量の製品が生産できること、また他社に比べ、ローコスト・少人数で同じものを生産する技術・設備があることなど。
③市場シェア：他社より大きな市場を確保していること。規模の経済という観点から見ても、またリスク分散の観点から見ても強みになるといえます。
④人材・組織：優秀な人材を多く雇用している企業、また団結力のある組織体制を維持していることや組織風土が革新的あるいは保守的であることなど。
⑤資金力：財務基盤がしっかりしていること、資金に余裕のあることなど。

内部環境　～自社～

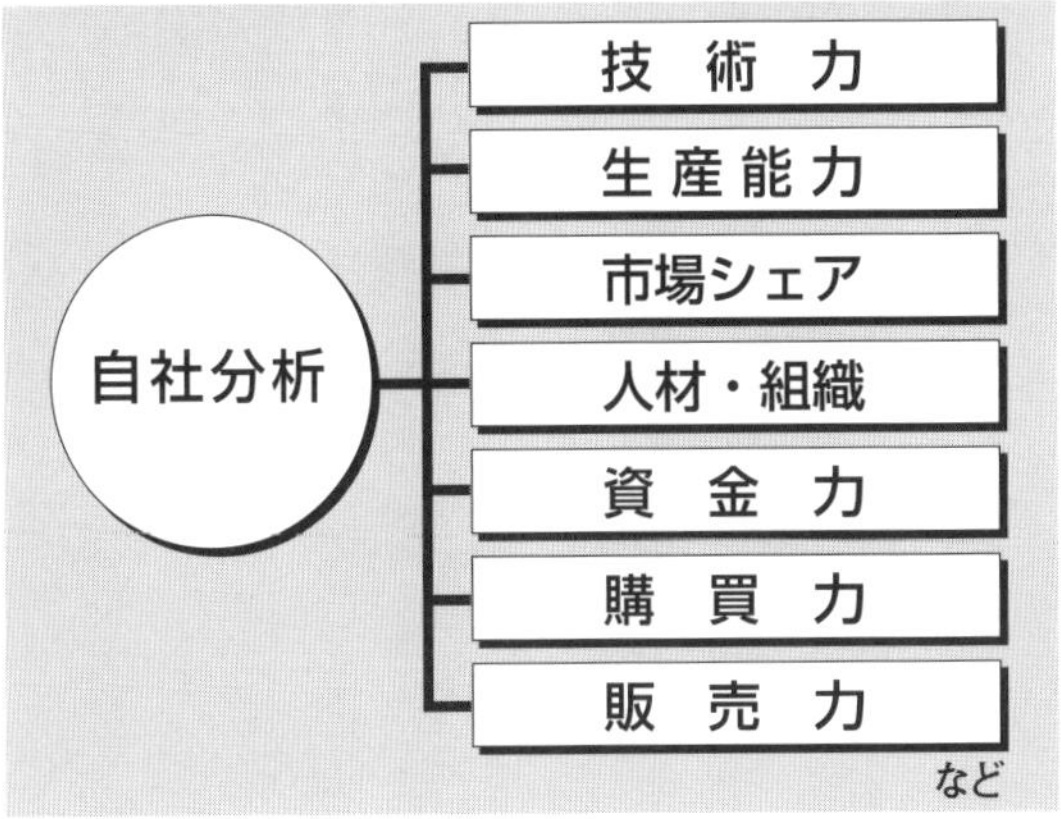

⑥購買力：良い供給業者を選定する能力があり、他社より安いコスト・短納期で購買できる力など。
⑦販売力：マーケティング能力や販売力が優れていることなど。

このような項目について詳細に分析し、強みを活かし弱みを克服するような戦略を考えていきます。また一方では、自社の経営資源に関して、今後の「強み」を作り上げるという視点も重要です。他社が簡単にまねできないような自社独自の中核的な能力（コア・コンピタンス、詳細は第3章第2節を参照）を作り上げ、競争に打ち勝つことが今後ますます重要になっています。

第3章

事業ドメインの確立

第1節では、第2章の経営環境分析を踏まえて、企業の事業範囲を定義する事業ドメインの確立について学習していきます。そして、事業ドメイン確立の際、重要な三つの軸である「顧客グループ」、「顧客ニーズ」、「独自技術」について見ていきます。

第2節では、事業ドメインの三つ目の軸である「独自技術」と関連するコア・コンピタンスについて学習します。コア・コンピタンスとは他社にまねできない自社独自の中核的な能力のことをいいますが、経営戦略上非常に重要な概念となっています。

1．事業ドメインの確立

1-1 事業ドメインの確立

SWOT分析により、外部環境の機会・脅威と内部環境の強みと弱みを把握できたら次は事業ドメインを確立します。ドメインとは、本来は生物学用語として使われているもので、生存領域という意味を持ちますが、企業経営で使うときは、事業領域という意味になります。すなわち企業の事業活動の範囲を決定することです。事業ドメインを定義する軸は、以下の三つです。

①顧客ターゲット（顧客はだれなのか）
②顧客ニーズ（顧客のどんなニーズに向けて提供するのか）
③独自技術（どのような技術を使うのか）

事業ドメインを決める際は、将来の事業が広がるような事業を定義するべきです。ありがちなのは製品に基づく事業定義ですが、市場に基づく事業定義のほうが優れています。

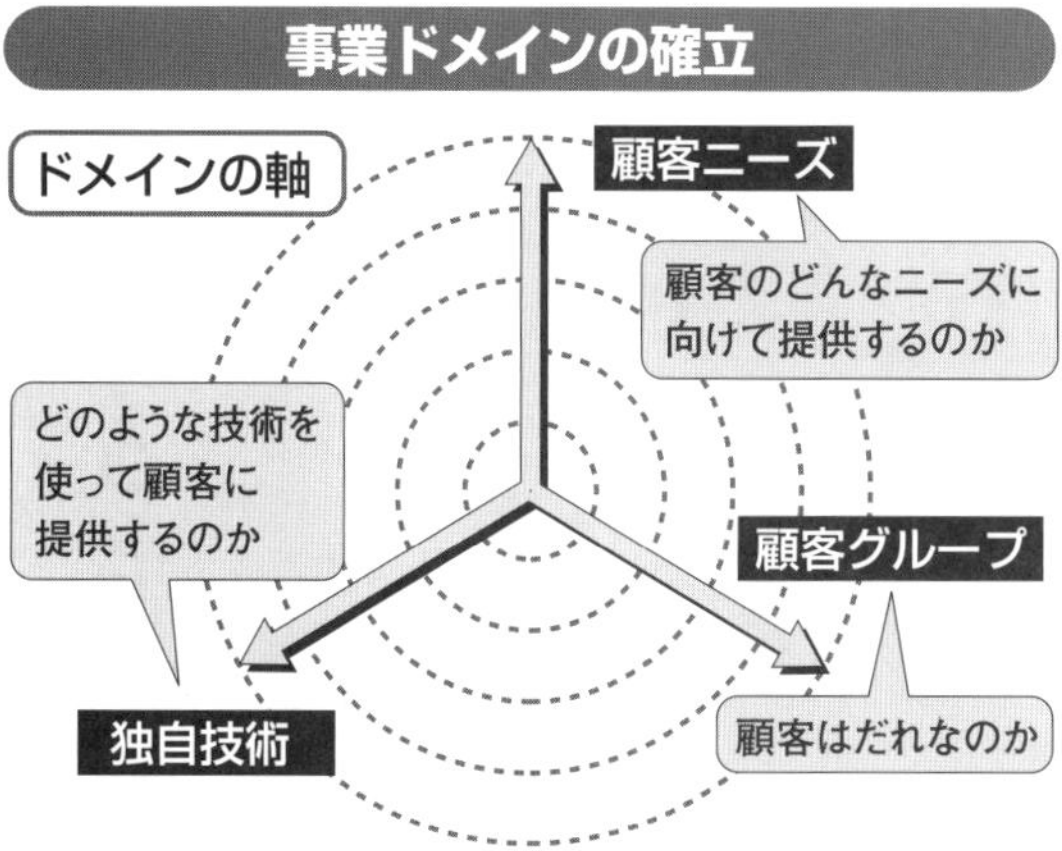
事業ドメインの確立
ドメインの軸
顧客ニーズ
顧客のどんなニーズに向けて提供するのか
どのような技術を使って顧客に提供するのか
顧客グループ
独自技術
顧客はだれなのか

出所:P・コトラー著、小坂恕他訳『マーケティング・マネジメント[第7版]』プレジデント社、1996年に加筆・修正

なぜなら製品は変化しますが市場の基本ニーズや顧客グループは永続するからです。例えば馬車製造会社は自動車の登場によって消えていきますが、もしこの企業が自らを輸送事業と定義すれば、馬車メーカーは自動車メーカーになるでしょう。このようにドメインの明確化は、既存事業の再構築や新規事業への進出など企業の重要な戦略に関わっており大変重要なものです。また、新規事業を展開する場合は、既存事業が有する機能や技術とのシナジー（相乗効果）を考慮に入れなければなりません。本業を中心としたドメインを実現する事業を進めてこそ、自社の強みを活かすことができ、リスクが少ない新規事業の開拓ができるようになります。

2. コア・コンピタンス

2-1 コア・コンピタンス

他社との競争に勝つためには、事業ドメインの三つ目の軸である「独自技術」は、他社が容易にまねできないような自社独自の能力である必要があり、コア・コンピタンスともいわれます。G・ハメルとK・プラハラードは、著書『コア・コンピタンス経営』において、コア・コンピタンスを「顧客に対して、他社にはまねできない自社ならではの価値を提供する、企業の中核的な力」と定義しています。つまりコア・コンピタンスとは、競争に勝つための他社がまねできない自社独自の中核的な能力のことをいいます。他社にはまねできないコア・コンピタンスを中心にして、事業展開を図っていくことは経営戦略上非常に重要になります。ウォルマートの有する物流ネットワークなどのように、勝ち組といわれる優秀な企業は、何らかのコア・コンピタンスを有しているといえます。

また、企業が多角化やリストラクチャリングを行う上でも、コア・コンピタンスを考慮

コア・コンピタンス

定　義

顧客に対して、他社にはまねできない自社ならではの価値を提供する、企業の中核的な力

具体例

技術、特許、ブランド力、生産方法、組織能力など

する必要があります。まず、リストラを行う場合、コア・コンピタンスをリストラしたのでは、企業の根底が崩れるため、後に大きな影響を及ぼします。また、コア・コンピタンスを無視した、多角化を行うことは、単なる思いつきでの事業展開が多く、成果が出せないまま無駄な事業への投資となりえます。

従来のコア・コンピタンスは、技術、特許やブランド力など可視的なものを中心に考えていましたが、今後の激変する環境下においては、組織能力をコア・コンピタンスとして捉えていくべきです。具体的には、顧客ニーズ対応力、迅速対応力や組織学習能力がそれにあたります。

第4章
成長戦略

本章では、経営戦略策定・実行プロセスにおける第三のステップである事業の選択（成長戦略）について学習します。まず個別の事業における戦略を考える前に、企業は全社的観点から、戦略を考えなければなりません。それが成長戦略といわれるものです。

成長戦略では、企業が今後どのような市場で成長していくかを考えていきます。そして事業のポートフォリオを考え、企業全体の中における経営資源の有効配分について学習していきます。

第1節では、「製品－市場マトリックス」による成長する製品・市場分野の選択を学習していきます。

そして第2節では、事業ミックスを学習し、プロダクト・ポートフォリオ・マネジメント（ＰＰＭ）による事業分野の選択、経営資源の有効配分に関して学習します。

1．製品－市場マトリックス

1-1 製品－市場マトリックス①
製品－市場マトリックスとは

第3章までで、経営戦略策定・実行プロセスにおける「経営環境分析」と「事業ドメイン」の確立という二つのステップを見てきました。

第三のステップは、事業の選択であり、一般的に成長戦略といわれます。成長戦略において、多くの事業部を抱える多角化企業は、個別の事業の戦略を考える前に、企業全体として今後どのような市場で成長していくかを考えなければなりません。また事業ポートフォリオを考え、企業全体の中における経営資源の有効配分を考えなければなりません。

成長戦略は、その意味で経営戦略のレベルでいう企業戦略（Corporate Strategy）に他なりません。本章では、「製品－市場マトリックス」による成長する製品－市場分野の選択と、プロダクト・ポートフォリオ・マネジメント（PPM）による事業分野の選択、経営資源の配分について述べていきます。

製品－市場マトリックス

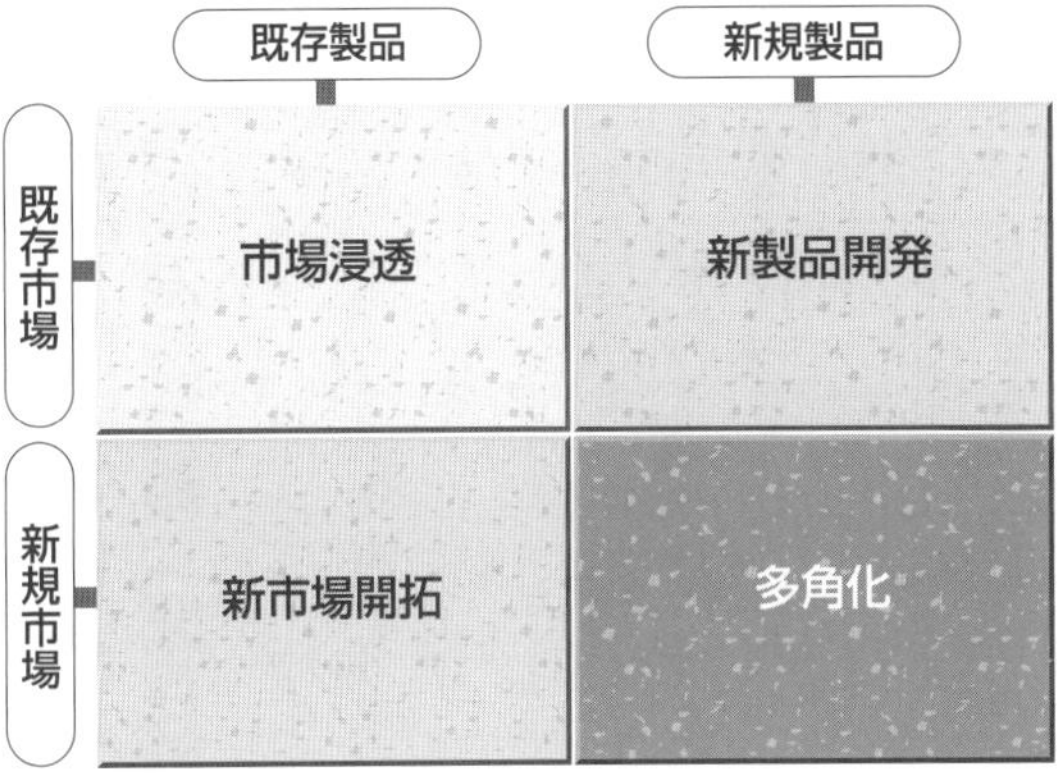

まず「製品－市場マトリックス」を学習します。企業が成長し続けるためには、絶えず市場の変化に即応できる事業構造を作らなければなりません。アンゾフは事業構造変革のための事業選択をするために、事業構造を「製品」と「市場」という二つの要素から捉え、「製品－市場マトリックス」を提案しました。

「製品－市場マトリックス」は、横軸に製品の既存と新規、縦軸に市場の既存と新規をとってマトリックスにしたもので、(1)市場浸透戦略（既存製品－既存市場）(2)新製品開発（新規製品－既存市場）(3)新市場開拓戦略（既存製品－新規市場）(4)多角化戦略（新規製品－新規市場）、という四つの事象を作ります。次項から各々の事象について見ていきます。

1-2 製品ー市場マトリックス②
市場浸透戦略（既存製品ー既存市場）

では四つの事象のうちの(1)市場浸透戦略（既存製品ー既存市場）について見ていきます。市場浸透戦略とは、既存の市場と製品において、成長を図っていく戦略です。最も単純な手法としては広告、宣伝、値下げなどの施策により一時的な市場シェアの拡大を図ることです。しかしこの手法は、収益性が低く、競合からの反撃を招く恐れがあります。

既存の市場と製品の下での賢明な手法は、製品の使用量を増加させることです。使用量の増加は、使用頻度の増加と一回あたりの使用量の増加、の二つの面から考えられます。アーカーは以下のような使用量を増加させる方策を挙げています。ｉ）注意喚起情報を提供する：今一番使用の必要性がある状況を見計らって、自社ブランドの存在を認識させます。例えば、今日が何かの記念日であることをダイレクトメールで知らせたり、自動車のオイル交換時期が近づいていることを知らせ、自社の提供する製品のＰＲも行います。ⅱ）

製品の使用量を増加させる方法

❶ 注意喚起情報を提供する

❷ 使用頻度を増加させる

❸ インセンティブを提供する

❹ 頻繁な使用による好ましくない結果を排除する

使用頻度を増加させる：例えば、「この化粧品は一日三回使用すれば、より効果的です」などの使用量を増やさせるという宣伝や、「色が変わったら交換時期です」という宣伝などで使用頻度を増やす方法があります。iii）インセンティブを提供する：製品ラベルを一〇個集めると景品がもらえる等の販売促進や、航空会社のマイレージサービス等により顧客一人当たりの購買個数を増やします、iv）頻繁な使用による好ましくない結果を排除する：低カロリーのビールやシュガーなどのように、今まで、体重を気にして、使用量を控えていた食品が、低カロリーをうたうことで、使用量を気にせず摂取することができます。

1-3 製品－市場マトリックス③ 新製品開発戦略（新規製品－既存市場）

次に、第二の事象である(2)新製品開発戦略（新規製品－既存市場）について見ていきます。新製品開発戦略は、既存の市場の強みを活かし、新たな製品の導入を行う手法です。既存のチャネルと顧客を利用することで販売コストの低減が図れます。アーカーは、新たな製品の導入方法として、以下の三つを挙げています。

①製品特性を追加する：いわゆる自動車購入時に考慮するオプションのようなもので、既存製品に特性を追加します。こういった特性の追加は、目に見える成長機会となり、比較的簡単に行うことができます。

②新世代製品を開発する：技術の進歩にあわせて、新たな製品を開発することをいいます。市場を変える革新的技術を追求することによって、ライバル企業とかなりの差をつけることになります。一方、革新的な技術を開発することは、新技術が成功したとしても、多く

新製品開発戦略の手法

1. 製品特性を追加する
2. 新世代製品を開発する
3. 製品の幅を拡張する

の場合、時間と費用の面で、多大な投資を必要とします。また、逆に新技術によって、予期できない顧客の支持を失うような問題が発生する恐れもあります。

③既存市場に向けて製品の幅を拡張する：顧客が共通しているが、既存製品とは異なる相互に重なり合わない製品を追加することで、既存のマーケティング力を活かすことができます。標的市場や流通経路などを共通させることにより、シナジー効果が得られます。幼児をターゲットにした玩具店では、さらに書籍や衣類などのベビー用品を取り扱うことは、一つのアイテム増が一つのアイテムを増やしたこと以上の効果を発揮します。

1-4 製品－市場マトリックス④ 新市場開拓戦略（既存製品－新規市場）

次に、製品－市場マトリックスの第三の事象である(3)新市場開拓戦略（既存製品－新規市場）について見ていきます。

新市場開拓戦略は、既存製品を新たに開拓市場に広げる戦略です。新規出店や海外進出等が当てはまり、既存商品の量産効果は見込めますが、一方多額の投資資金も必要になります。新たな市場を開拓する代表的な方法には、以下の二つが挙げられます。

①地理的に拡大する：小さな町から、市へ、そして国内全般へと市場を拡大して成長していく企業は多くあります。また、グローバル化の発展により、今まで市場が国内に限定されていたにもかかわらず、海外の市場に目を向ける必要がでてくる機会が増えています。インターネットなどの技術の進歩により、少額の投資で、海外市場への進出が可能となってきています。

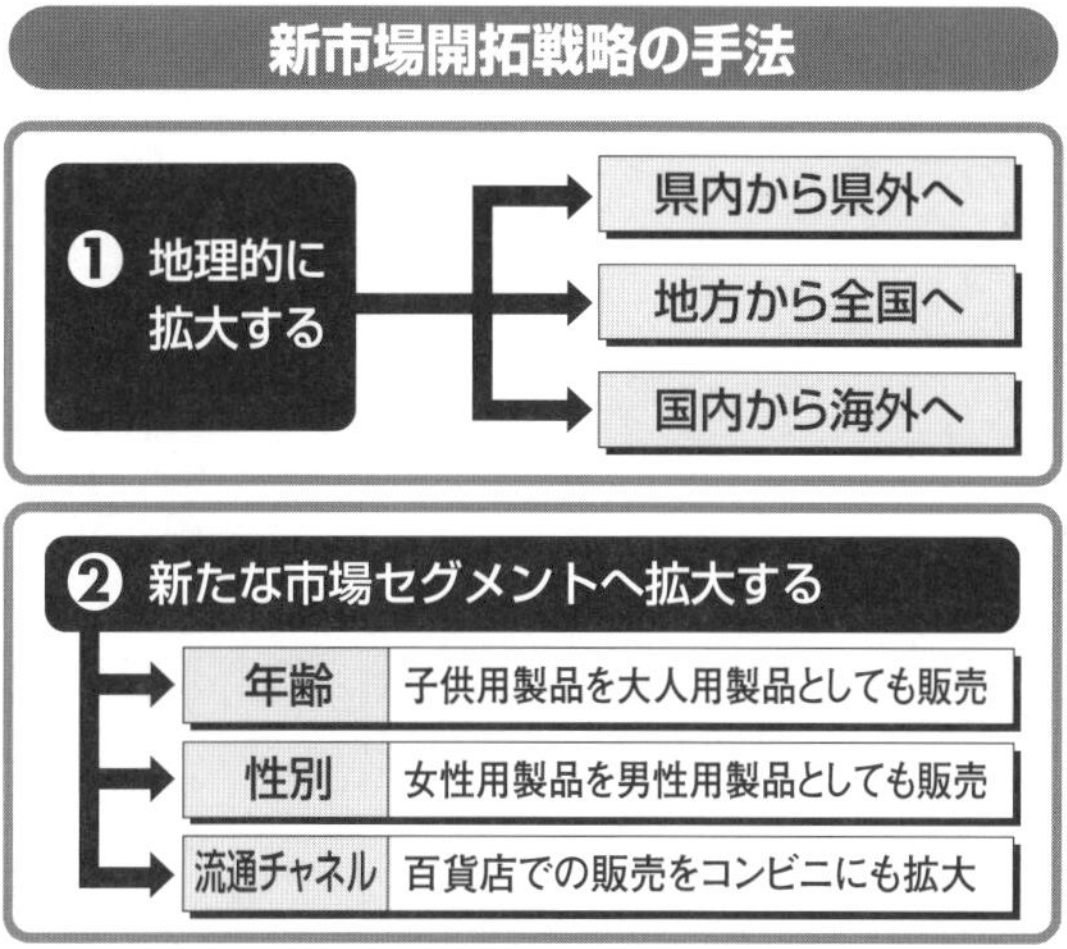
新市場開拓戦略の手法
❶ 地理的に拡大する
県内から県外へ
地方から全国へ
国内から海外へ
❷ 新たな市場セグメントへ拡大する
年齢
子供用製品を大人用製品としても販売
性別
女性用製品を男性用製品としても販売
流通チャネル
百貨店での販売をコンビニにも拡大

②新たな市場セグメントへ拡大する：新たな市場セグメントの方向づけとしては、ⅰ）年齢：子供用に開発したおもちゃを大人用として発売する、ⅱ）性別：女性用の化粧品を男性をターゲットとして発売する、ⅲ）流通チャネル：百貨店でのみ販売していた製品をコンビニでも販売する、などが挙げられます。

　また、市場拡大を検討する際、以下の点を考慮に入れなければなりません。すなわち、ⅰ）進出する市場は魅力的であるか、ⅱ）進出するだけの資源が存在するか、ⅲ）既存の事業が新しい市場でも適合できるか、ⅳ）その企業が所持しているコア・コンピタンスを新しい市場でも活かすことができるか、という点です。

1-5 製品－市場マトリックス⑤ 多角化戦略（新規製品－新規市場）1

いよいよ製品－市場マトリックスにおける四番目の事象である⑷多角化戦略（新規製品－新規市場）です。多角化戦略は、製品と市場の両方で新規領域をめざす戦略です。全くの新分野であるためリスクも大きいですが、その一方でリターンも大きくなります。最近では、多角化手法としてＭ＆Ａ（合併・買収）が、スピードを高める意味で重要性を増してきています。

多角化には、大きく分けて、①関連多角化、②非関連多角化という二種類があります。関連多角化とは、新事業領域が既存の事業と意味のある共通性をもたせてあることです。意味のある共通性には、標的市場、流通チャネル、研究開発活動、生産技術、などがあります。これらの共通性を持つ事業へ進出し、多角化を図ることは、規模の経済性やノウハウの交換を行えるなどのシナジー（相乗効果）を生み出す可能性が高くなります。

多角化戦略の種類

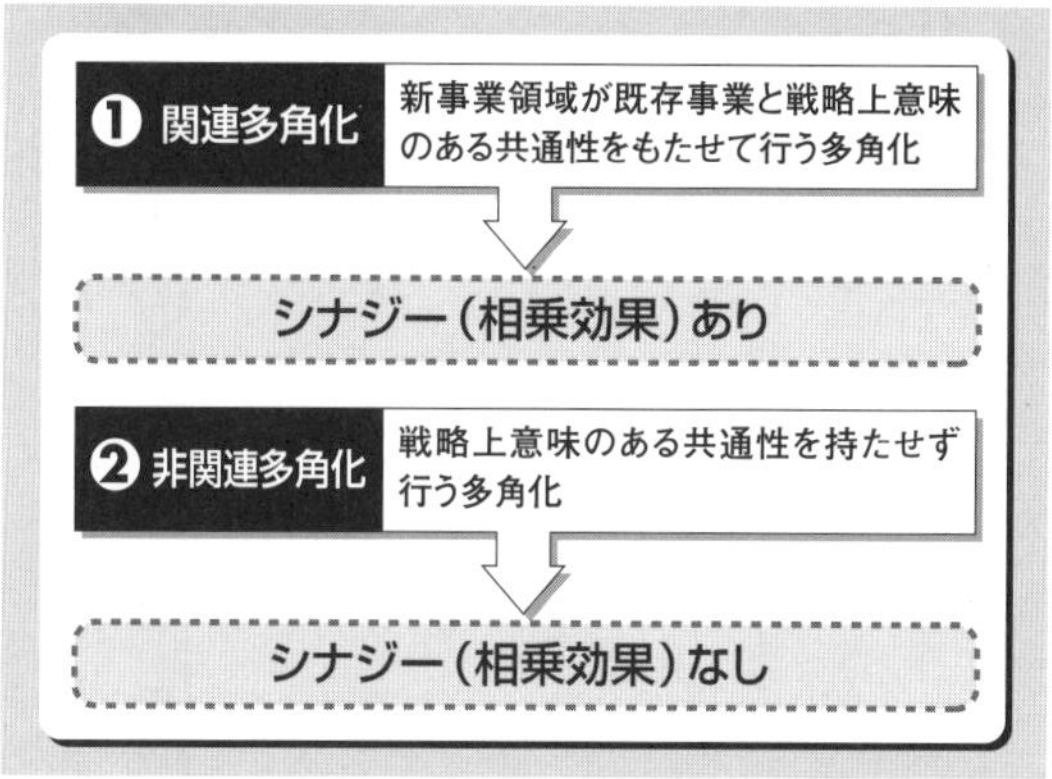
❶ 関連多角化
新事業領域が既存事業と戦略上意味のある共通性をもたせて行う多角化
シナジー（相乗効果）あり
❷ 非関連多角化
戦略上意味のある共通性を持たせず行う多角化
シナジー（相乗効果）なし

一方、非関連多角化については、意味のある共通性を持たない事業への多角化を図ることであり、シナジー（相乗効果）が得られません。非関連多角化を行う動機としては、PPM（後述）より考えられるキャッシュフローの流れを考慮にいれて、多角化を図ることです。収入は多いが成長見込みの少ない事業を行っている企業が、資金はかかるが成長見込みのある事業へ投資を行うことは、将来を見据えた意味のある行動であるといえます。また、その他の動機として、高投資利益率の獲得なども挙げられます。以上二つの多角化がありますが、実際に、関連多角化より非関連多角化の方が、業績が悪く、売却される件数も高いという結果が出ています。

1-6 製品ー市場マトリックス⑥ 多角化戦略（新規製品ー新規市場）2

多角化におけるシナジー（相乗効果）についてもう少し詳しく述べておきましょう。

多角化を検討する際、各事業間でのシナジー（相乗効果）を考えることは非常に大切なことです。

シナジーとは、相乗効果のことであり、1＋1＝2ではなく、1＋1＝2よりも大きくなることを意味しています。多角化戦略において、関連分野における多角化は、既存事業のコアとなる技術、製品を共有することで、既存事業を核として関連事業を展開していく戦略です。事業規模の拡大による生産効率の向上や、研究開発・生産技術等を友好的に活用することによりシナジーを発揮し、高い収益率をめざします。シナジーの種類には以下の四つが挙げられます。

①販売シナジー

多角化のメリット

❶シナジーが発揮できる	❸リスクが分散できる
❷適正な事業バランスで収益が安定する	❹未利用資源が活用できる

シナジー（相乗効果）の類型

❶販売シナジー	❸投資シナジー
❷生産シナジー	❹管理シナジー

流通チャネル、販売促進、ブランドなどを共通利用することによって得られる相乗効果。

②生産シナジー

生産における人員・資材などの共通利用、製造間接部門や生産施設の共通利用、原材料の一括大量購入、等により、生産コストの低減が図れる場合などに生じる相乗効果。

③投資シナジー

設備の共通利用による設備投資額の低減、類似分野の研究開発による研究開発投資の低減等、投資が節約できるときの相乗効果。

④管理シナジー

管理活動における既存の知識やノウハウが、新規製品—市場分野においても活用できる場合に生じる相乗効果。

1-7 製品－市場マトリックス⑦ 垂直統合

今まで説明してきました(1)市場浸透戦略（既存製品－既存市場）、(2)新製品開発（新規製品－既存市場）、(3)新市場開拓戦略（既存製品－新規市場）、(4)多角化戦略（新規製品－新規市場）という四つの事象がアンゾフが提唱する「製品－市場マトリックス」における製品－市場分野の選択肢で、この考えは、実務において企業戦略を立案する際に役立ちます。

また、アーカーは、この四つの事象に加えて、もう一つの企業の成長方向性を掲げています。それが「垂直統合」という選択肢です。

垂直統合には、製造業者が卸売業者や小売業者を統合するような「前方統合」と、製造業者が原材料メーカーを統合するような「後方統合」があります。

垂直的統合がもたらす利点としては、「需要及び供給への対応」が考えられます。まず、後方統合を行った場合の利点として、必要なときに必要な部品を供給させることができま

成長戦略の5つの選択肢

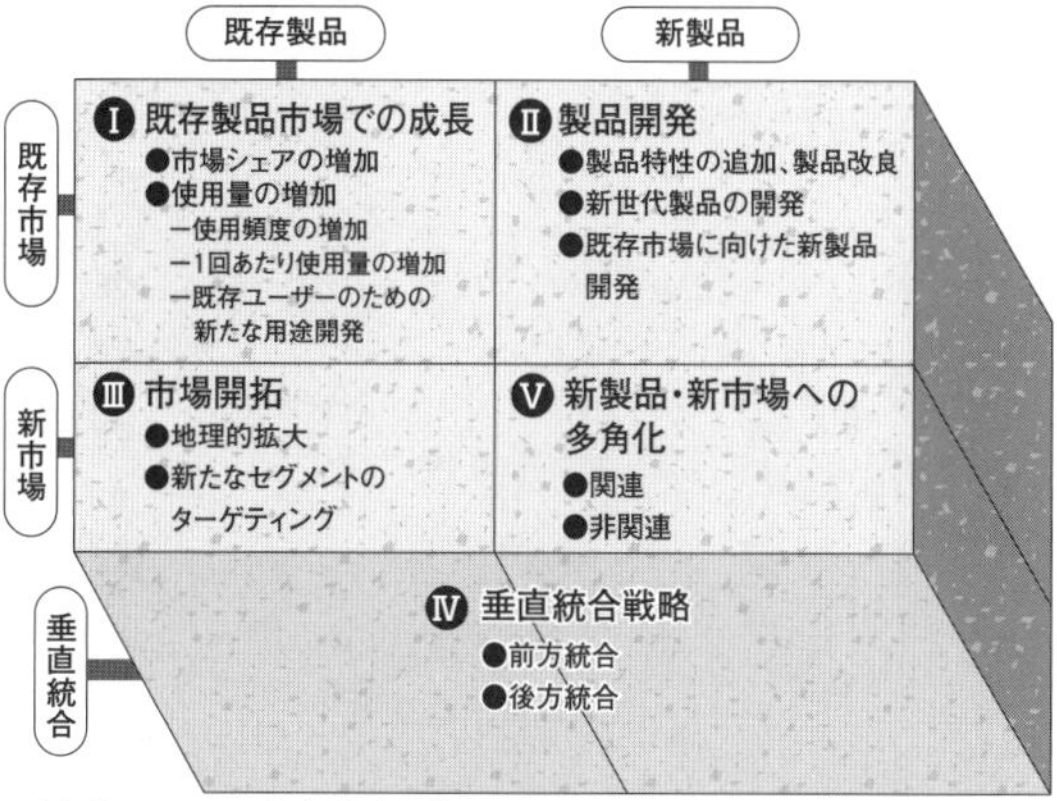

（出所）：D.A.アーカー著、今枝昌宏訳『戦略立案ハンドブック』東洋経済新報社.2002年、292頁

すし、逆に前方統合時の利点として、最終消費者が必要としている製品が何であるかを、いち早く知ることができます。また顧客に対して包括的なサービスを供給できたり、統合的なソリューションを提供できるという利点もあります。さらに既存の買い手や売り手に対して自社の交渉力が高まり、収益率を高めることができる可能性もあります。

一方、垂直統合を行う上でのリスクとしては以下のものが挙げられます。

まず、今までの事業とは、全く異なる資産や能力が必要となることです。そして、その市場が悪化した場合、統合により利益の悪化はより厳しいものとなってしまうことであるといえます。

2．プロダクト・ポートフォリオ・マネジメント（PPM）

2-1 プロダクト・ポートフォリオ・マネジメント（PPM）

規模の大きな企業であっても、自社の経営資源は限られているため、複数ある各事業を最適に組み合わせて（事業ミックスという）、経営資源を有効に配分する必要があります。その技法としてプロダクト・ポートフォリオ・マネジメント（PPM）があります。

PPMは、横軸に「相対的マーケットシェア」の高低をとり、縦軸に「市場の成長率」の高低をとって、四事象のマトリックスをつくります。PPMでは、「相対的マーケットシェア」を資金の流入、「市場の成長率」を資金の流出と捉え、複数事業への資源の有効配分を分析する枠組みです。図のように、事象は以下のような特徴があります。

①金のなる木：相対的シェアが高いため資金の流入が大きく、また市場成長率が低いため、資金の流出は少なくてすみます。よってこの事業においては大きな資金が確保できます。

②花形製品：相対的シェアが高いため資金の流入は大きいですが、一方市場成長率が高い

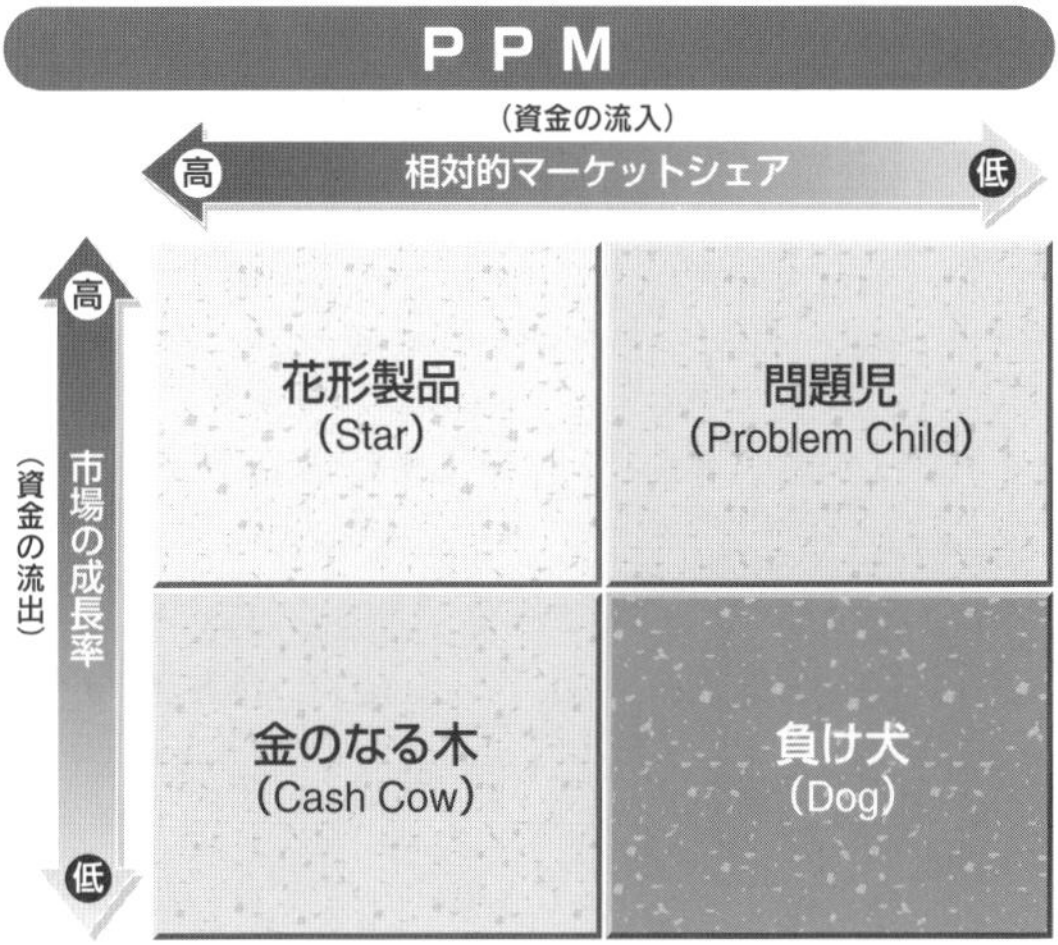

ため、資金の流出も大きくなります。よってこの事業において資金は確保できません。

③問題児：相対的シェアが低いため、資金の流入は小さいが、市場成長率が高いため資金の流出は大きくなります。よってこの事業は大きな資金需要が発生します。

④負け犬：相対的シェアが低いため資金の流入が小さく、また市場成長率が低いため、資金の流出は少なくてすみます。

ＰＰＭによる事業ミックスは、①金のなる木で得たキャッシュを②問題児への投資に充て、その②問題児を③花形製品に育て、積極的な投資を行ってシェアを高め、将来的には①金のなる木に成長させる、という具合に行うのが理想となります。

第5章

競争戦略

本章では、第4章の全社的な成長戦略をうけて、個別事業ごとの事業戦略（競争戦略）について学習していきます。個別企業ごとの戦略であるため、市場、顧客、競合を明確に認識し、いかに競合に対して差別的優位性を確立して自社のポジショニングを形成し、高い収益を確保していくかということを学んでいきます。

第1節では、競争優位を確立する意義として、まずなぜ競争優位を構築することが必要なのかを確認します。その後、持続可能な競争優位性を構築する際の基礎として重要な事項を学習します。

第2節では、競争優位性を構築する際に最初に分析しなければならない業界構造について「ファイブフォース分析」を利用した分析方法を学習します。ここで、業界の収益性や競合の状況を把握します。

第3節では、事業のタイプによってどのような競争優位性を構築できるかを考えるのに役立つアドバンテージマトリックスについて学習します。

第4節では、「ファイブフォース分析」で見てきた五つの競争要因に対抗し、他社より魅力あるポジションを構築するための三つの基本戦略であるコストリーダーシップ、差別化、集中について学習します。

第5節では、第3節で述べた競争優位性を構築するためのコストリーダーシップ、差別化、集中という三つの基本戦略を具体的に構築する方法として、価値連鎖（バリューチェーン）について学習します。

第6節では、競争戦略のまとめの節として、事業がその競合や市場との関係でどのように知覚されるかを明示するものである戦略的ポジショニングについて見ていきます。

1．競争優位を確立する意義

1-1 なぜ競争優位が必要なのか

企業は、顧客に価値を届けることによって収益を得ています。企業は顧客に対して便益という価値を提供し、顧客は企業に対し貨幣という価値を提供します。したがって企業と顧客は価値を交換し合っているといえるでしょう。

ここでいう価値とは、「会社が提供する製品やサービスに対して買い手が進んで支払ってくれる金額」のことをいいます。この価値は、「総収入金額」で表されます。すなわち製品単価に販売数量を掛け合わせたものです。この価値が、製品・サービスをつくるのに要したコストを上回ると、会社は利益を獲得できます。この利益のことを企業が「獲得できる価値」といいます。

企業の究極的目標は、企業価値を最大にすることであるため、企業はできるだけ顧客からたくさんの価値、すなわち総収入金額を得ようとし、またコストをできるだけ抑えて獲

獲得する利益を増やすため、競争優位が必要になる

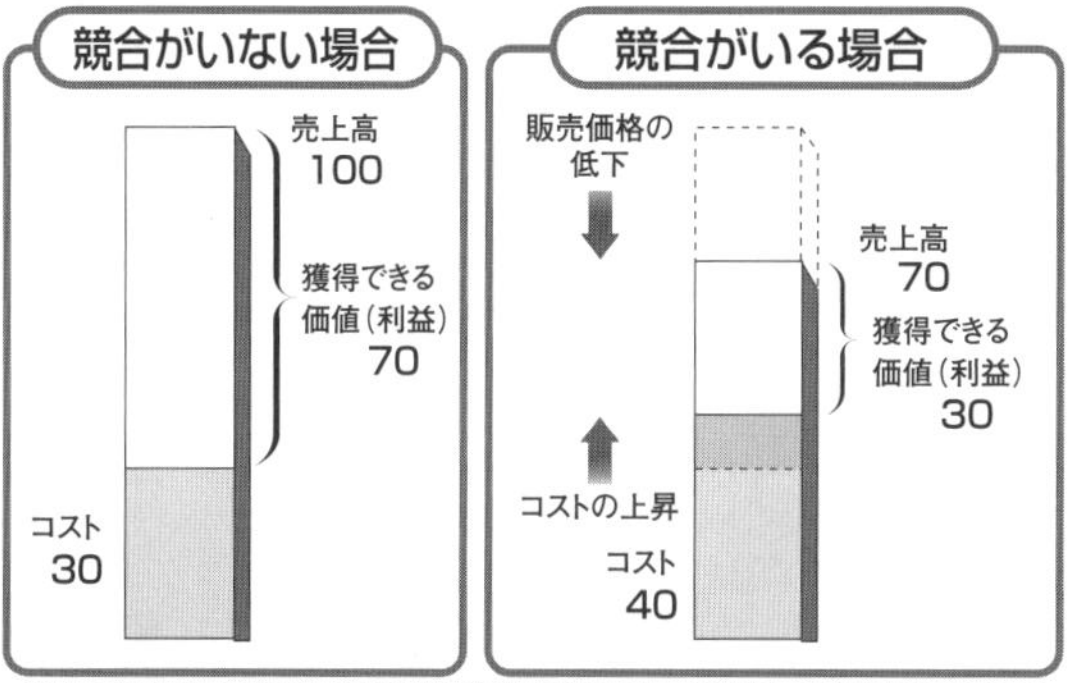

競争優位を構築することによって販売価格の低下を防ぎ、コストの上昇を抑え、利益を増やす。

得できる価値を最大にしようとします。競合が一社もなければ、その企業は、顧客から十分な価値を獲得できるでしょう。山の上に一つしかないホテルは、さほど良質なサービスを提供しないまでも、競合がいないことから、登山客からたくさんの価値を獲得するでしょう。

しかし、競合がいる場合はそうはいきません。競合によって、販売価格が下がり、また競合よりよりよい製品・サービスを提供しようとするためにコストが上昇していきます。したがって競合他社に対して、競争優位を構築し、自社が必要としている利益を獲得していかなければなりません。

1-2 持続可能な競争優位

　前項では、競争優位を構築することの必要性を述べましたが、一体どのような競争優位を構築すればよいのでしょうか。それは、短期間で終わってしまうのではなく、長期的に持続可能な競争優位（Sustainable Competitive Advantage：ＳＣＡ）を構築することです。持続可能な競争優位の基礎として以下の三つを挙げることができます。

①優れた資産

　優れた資産とは、優れた立地、優れた流通・販売ネットワーク、特許、トレードマーク、ブランド、優秀な人材、高い価値を提供する商品、などです。

②特徴的な能力

　特徴的な能力は、製品自体や価値創造（製品提供）プロセス、経営ノウハウなどを継続的に革新して、他社との競争優位性を維持できる能力のことをいいます。機能面でいえば、

持続可能な競争優位性

❶ 優れた資産	優れた立地、優れた流通・販売ネットワーク、特許、トレードマーク、ブランド、優秀な人材、高い価値を提供する商品など
❷ 特徴的な能力	研究開発能力、製造能力、マーケティング能力、営業能力、情報管理能力、優れた資産を管理・維持する能力など
❸ 戦略的な連携	M&A（合併・買収）、合弁会社の設立、資本参加、事業連携など

※これら3つを効果的に結びつけることが重要

研究開発能力、製造能力、マーケティング能力、営業能力などがあります。

③戦略的な連携

戦略的連携は、企業が持つ既存の優位性の源泉を強化することを目的として、外部資源やネットワークにアクセスし、相互補完的な強さを加えるのに必要となります。既存の優位性を強化する目的と新たな優位性を構築する目的という二つの目的があります。具体的には、M&A（合併・買収）、合弁会社の設立、資本参加、事業連携、などがあります。

大事なことは、これら三つが単独で機能するのではなく、相互に結びつくことによって、持続的な競争優位が構築されることになります。

2. 業界分析「ファイブフォース分析：Five Forces Analysis」

2-1 業界分析「ファイブフォース分析」①
ファイブフォース分析とは

競争優位性を構築するために、最初に必ず見ておかなければいけないものがあります。それは会社が競争を仕掛けたり仕掛けられたりしている業界構造です。業界構造は、会社の戦略に影響を与えることは当然ですが、競争ゲームのルールをも大きく変えてしまいます。

「ファイブフォース分析」は、ハーバードビジネススクールのM・E・ポーターによって提唱されたもので、業界の魅力度を測定するためのフレームワークです。このフレームワークでは、競争状態を決める「五つの要因」が総合的にどう作用するかによって、業界の魅力度（収益性）や、その業界における競合の状況を把握します。

業界の魅力度や競合状況を決定するのは、次の五つの競争要因です。

①業界内の既存の競争

ファイブフォース分析（five forces analysis）

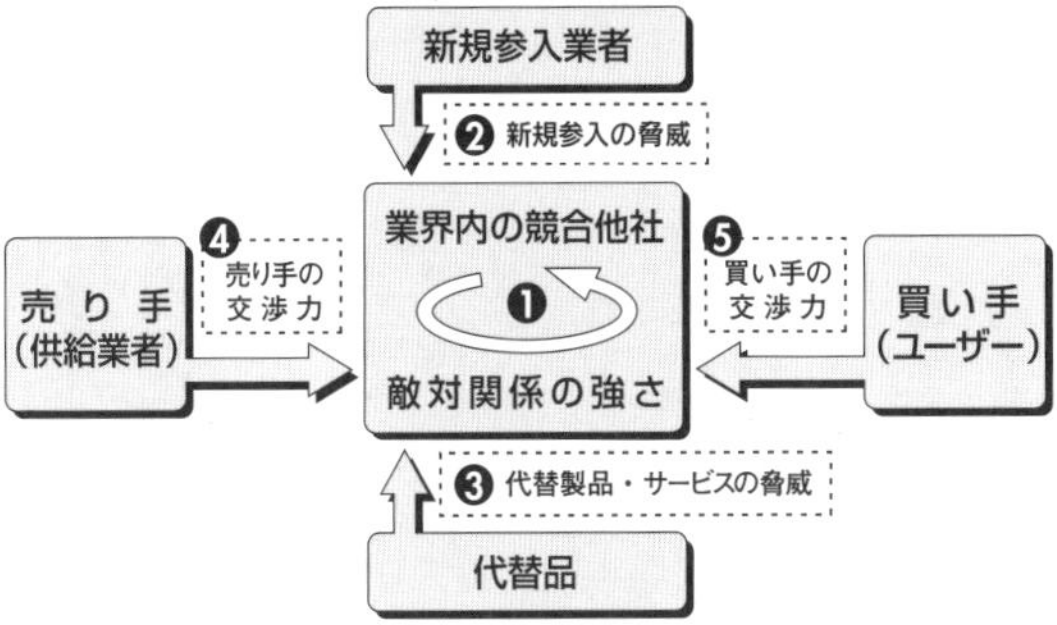

出所：M.E.ポーター著、土岐坤他訳『新訂 競争の戦略』ダイヤモンド社、1995年

②新規参入の脅威
③代替品の脅威
④売り手の交渉力
⑤買い手の交渉力

この五つの力が業界に対してどのように影響を及ぼしているのかを分析することによって、「業界の収益性」が把握でき、その業界内での企業の戦略が決定します。

大事なことは、これら五つの要因を掘り下げて分析し、各要因の源泉を分析することです。なぜなら、競争圧力の源泉を把握することによって、自社の強みと弱みが明らかになり、業界での位置づけが把握でき、次にとるべきアクションが明確になるからです。

2-2 業界分析「ファイブフォース分析」②
業界内の既存の競争1

まず第一の競争要因である業界内の既存の競争を見ていきます。これは、自社が属している既存の業界における競合他社との競争のことです。既存業界内の業者間で、価格競争、広告、新製品の導入等といった戦術によって市場シェアと収益を獲得しあう競争です。

競争が激しいと販売価格が下がり、企業の収益は下がります。ある競合が他社に先がけて受注を取るために値段を下げ始めると、他社も負けじと対抗して値下げを開始します。結局業界すべての企業の収益は低下してしまいます。

業界内の競争が激しくなる場合は、次のような場合が考えられます。

①規模が似かよった企業が多数存在する場合

規模が似かよった企業が多数存在するような場合は、規律が働かないので、勝手な行動をする企業が存在し、その行動に対する報復行動が起きます。これが繰り返されて、企業

業界内の既存の競争が激しくなる場合

❶ 規模が似かよった企業が多数存在する場合

❷ 固定費が高い

❸ 業界の成長率が低い

❹ 製品の差別化が難しい

❺ 撤退する際の障壁が高い

の経営資源が反撃の反復に使用されてしまいます。一方、一社あるいは数社が市場を押さえていると、業界のリーダー企業が一定の規律を行使するため、勝手な行動に出る企業は少なくなります。

②固定費が高い

固定費が高いと、企業はその費用を賄うために、生産能力の限度まで生産を行おうとします。すると市場では供給が需要を上回り、企業間で値下げが始まり、収益性が低下してきます。装置型産業で、巨額の設備投資が必要な業界などで起こりがちです。

③業界の成長率が低い

業界の成長率が低いと、市場が拡大しないため、限られた市場を競合と奪い合います。

2-3 業界分析「ファイブフォース分析」③ 業界内の既存の競争2

業界内の競争が激しくなる場合の続きです。

④製品の差別化が難しい

製品自体に差別化を図ることができない場合は、買い手は、価格の安さとサービスの確実さによって製品を選択することになります。それに適合する形で企業は、業者間で価格とサービスの競争をするようになります。企業は、価格競争によって売上高が低下し、またサービス競争によってコストが上昇し、収益率が低下します。

⑤撤退する際の障壁が高い

「撤退障壁」とは、業界内で企業が収益率が低かったり、赤字になりながら操業していても、その業界にとどまらざるをえなくしている要因のことをいいます。ポーターは、その撤退障壁として以下の五つを挙げています。

撤退障壁

❶ 資産がその業種に特殊化されている
❷ 撤退のための固定コストが高い
❸ 戦略的な関連性で問題を起こす
❹ 感情的障壁
❺ 政府および社会からの制約

ⅰ）資産がその業種に特殊化されている：特定の業種などしか利用できない資産は、他の流用のためのコストが高くつきます。

ⅱ）撤退のための固定コストが高い：労働協約を変えるコスト、人員再配置のコストなど。

ⅲ）戦略的な関連性で問題を起こす：ある事業の撤退が、他の事業に対してイメージ、マーケティング能力、資金市場との関係、共同利用の設備などで不利な影響を及ぼすこと。

ⅳ）感情的障壁：経営者の事業への思い入れ、プライドや従業員への思いやりなど。

ⅴ）政府および社会からの制約：政府が、地域経済への影響を考慮し撤退を禁止すること。

このような撤退障壁があると、供給超過の状態が続き業界全体の収益率は低下します。

2-4 業界分析「ファイブフォース分析」④ 新規参入の脅威1

業界の収益率が高いと、新規参入業者が出現します。新規参入によって、業界は製品販売価格を下げたり、コストを上昇せざるを得なくなったりします。

新規参入の脅威がどの程度であるかは以下の二つによって決定します。

一つは、「参入障壁」がどの程度であるかによって決まります。参入障壁が低ければ業界の高収益は持続しません。そしてもう一つは、既存の業者が新規参入業者に対してどれくらいの報復手段に出ると新規参入業者が予想するかによって決定することになります。

まず一点目の参入障壁について見てみましょう。ポーターは参入障壁として、以下のものを挙げています。

①規模の経済性

規模の経済性とは、製品の生産量が増えれば増えるほど、製品の単位あたりのコストが

新規参入の脅威の程度を決定する要因

❶「参入障壁」がどの程度であるか

参入障壁が低ければ新規参入の脅威は強まり業界の高収益は持続せず、高ければ新規参入の脅威は弱まり業界の高収益は持続する

❷ 既存の業者が新規参入業者に対してどれくらいの報復手段に出ると新規参入業者が予想するか

既存の業者が徹底的な報復手段に出ると新規参入業者が予想すれば、新規参入の脅威の力は弱まる

削減できるというもので、スケールメリットを追求するものです。規模の経済性が適用されるような業界では、もし、新規業者が参入しようとしても、最初から大量生産をしないと競争力が維持できなくなってしまいます。規模の経済性は、製造、マーケティング、サービス体制など企業のさまざまな機能において発揮されることになります。

②製品差別化

製品の機能、顧客へのサービス、流通チャネルなどが優れており、既存企業のブランドが認知され評価されている場合は、新規に参入する業者は顧客に認知してもらうための膨大な広告費用をかけなければなりません。

2-5 業界分析「ファイブフォース分析」⑤ 新規参入の脅威2

前項の続きで、参入障壁の種類を見ていきます。

③巨額の投資

広告宣伝費、研究開発費、生産設備投資、在庫投資などの投資が競争力を維持するために莫大に必要となる場合は、参入障壁になります。

④仕入先を変更するコスト

買い手が現在購入している製品から別の業者の製品に変更する場合に、コストが多く発生する場合、それが参入障壁になります。例えば、設備を変更するコスト、従業員を再教育するコスト、新しい調達先を調べる時間的コスト、製品の設計のやり直しコスト、新たに取引関係を円滑にするコスト、などが挙げられます。

⑤流通チャネルの確保

参入障壁

❶ 規模の経済性
❷ 製品差別化
❸ 巨額の投資
❹ 仕入先を変更するコスト
❺ 流通チャネルの確保
❻ 政府の規制

業界内の既存の企業によって流通チャネルが整備されている場合、それが参入障壁になります。新規に参入する業者がその流通チャネルに入り込んでいくのは難しく、価格の値下げ、リベート率のアップ、販促費の負担という費用が必要になってきます。

⑥政府の規制

企業が業界へ参入する際、政府が許認可制度を採用している場合、それが参入障壁になります。その規制によって、ある業界（例えば貨物運送業など）への参入が制限されたりします。また、規制により参入に必要な資本が大きくなったり、技術水準の高度化が要請されたりするため、参入するのが困難になる場合もあります。

2-6 業界分析「ファイブフォース分析」⑥ 新規参入の脅威3

前項において、新規参入の脅威がどのくらいであるかは、「参入障壁の程度」によって決定されることを述べ、その参入障壁とは何かを説明しました。

本項では、もう一つの新規参入の脅威の決定要因である「既存の業者が新規参入業者に対してどのくらいの報復手段にでると新規参入業者が予測するか」について説明します。

もし新規参入業者が、自己の参入に対して既存の業者が徹底的な報復手段に出ると予想したならば、参入業者はそれを恐れて参入を躊躇するでしょう。新規参入業者が、既存の業者からの反撃を予想し、参入を躊躇する場合は、次のような場合が考えられます。

①既存の業者が多額の資本を投入している。
②業界の成長率が低いため、参入によって既存業者の収益が大幅に減額する。
③過去の参入に対して報復にでた事実がある。

新規参入業者が、既存の業者からの反撃を予想して参入を躊躇する場合

1. 既存の業者が多額の資本を投入している
2. 業界の成長率が低いため、参入によって既存業者の収益が大幅に減額する
3. 過去に参入に対して報復にでた事実がある
4. 資金力など報復に十分な経営資源を保持している

④資金力など報復に十分な経営資源を保持している。

いずれにせよ、新規参入を押し返すには、参入業者に参入を踏みとどまらせるよう、前述したような条件をわからせる必要があります。そのためには、相手に目立つように、大胆な行動をとり、そのようなシグナルを送ることも必要かもしれません。例えば実際にかなりの投資をして生産設備を拡大するといった目に見える行動は、より相手のやる気を低下させるかもしれません。

2-7 業界分析「ファイブフォース分析」⑦代替品の脅威

業界は異なりますが、自社の製品・サービスと同じニーズを満たす代替品が登場する場合、業界は大きな影響を受けます。その影響とは、自社製品の販売量を減らし、製品販売価格を低下させ、またコストを上昇させます。

特に気をつけなければいけないのは、その代替品が、現在の製品よりもコストパフォーマンス（価格対性能比）がよい場合や、高収益を達成している業界によって生産されている場合です。

コストパフォーマンスがよい製品の登場や、高収益を達成している業界の会社が代替製品に改良を加えた場合は、自社も含めた業界の会社は、製品価格を下げなければならず、製品の性能向上のために、コストを上昇せざるをえなくなり、収益が圧迫されます。

代替品への対抗は、価格を下げることだけではなく以下の三つの方法が考えられます。

価格を下げること以外の代替品への対抗方法

1. 品質の改善などで、自社製品・サービスの顧客に対する価値を向上させる
2. 自社の市場でのポジションを移す
3. 業界全体として共同行動をとる

第一に、品質の改善などで自社製品・サービスの顧客に対する価値を向上させることです。

第二に、自社の市場でのポジションを移すことです。これにより競争を回避します。代替製品が対応不可能なニーズを満たすセグメントを探すことで代替品の脅威から逃れます。

第三に、業界全体として共同行動をとることです。共同広告を出したり、行政へのロビー活動を行うことなどにより、代替製品を跳ねのける方法です。

また、代替製品の対抗を考える際は、完全対抗姿勢で打ちのめす戦略をとるか、それとも避けられない強敵として対抗する戦略をとるかを決めなければなりません。

2-8 業界分析「ファイブフォース分析」⑧ 売り手の交渉力

自社にとって、製品・サービスの供給業者も競争要因の一つとなりえます。供給業者は、価格を上げるとか品質を下げるなどと圧力をかけてきます。

売り手の交渉力が強くなる場合は、以下のような場合です。

①製品・サービスに差別化が図られていて、代替品と戦う必要がない場合

買い手にとってある供給業者からしか購入することができない製品は、非常に価値が高いものになります。よって売り手は強い交渉力を持ちます。

②売り手にとって自社（買い手）が重要な位置づけになっていない場合

自社（買い手）が売り手にとって重要な位置づけになっていれば、売り手の業績は自社によって大きく影響をうけますが、重要な位置づけでない場合は、売り手は自社によって業績に影響はないため、交渉力は強くなります。

売り手の交渉力が強くなる場合

- ❶ 製品・サービスに差別化が図られていて、代替品と戦う必要がない場合
- ❷ 売り手にとって自社（買い手）が重要な位置づけになっていない場合
- ❸ 売り手が少ない場合
- ❹ 売り手の製品・サービスが、買い手の製品・サービスの品質面などにおいて非常に重要な製品となる場合
- ❺ 売り手が川下統合を計画している姿勢を示す場合
- ❻ 買い手が取引先を替えるコストが高い場合

③売り手が少ない場合

売り手が少ない場合は当然、価格、品質、取引条件において、交渉を有利に進めることができます。

④売り手の製品・サービスが、買い手の製品・サービスの品質面などにおいて非常に重要な製品となる場合

⑤売り手が川下統合を計画している姿勢を示す場合

⑥買い手が取引先を替えるコストが高い場合

買い手が、売り手を替えることによって、設備を買い換えたり、従業員を教育したりコストが多くかかる場合、売り手の交渉力は強くなります。

2-9 業界分析「ファイブフォース分析」⑨ 買い手の交渉力1

製品・サービスの買い手も競争要因の一つとして捉えなければなりません。買い手は、製品サービスの供給者に対して、値下げを迫ったり、もっと高い品質や手厚いサービスを要求したり、供給者同士を競い合わせたりして業界の収益性を圧迫する行動をとります。例えば、全国規模の大手スーパーなどが、購買力を武器に、メーカーや卸売業者に値下げを迫るなどです。

買い手の交渉力が強まる場合は、以下の七つの場合が考えられます。

①代替品がたくさんある場合

売り手が供給する製品・サービスが、差別化の図られていない製品・サービスで、代替品が市場にたくさんある場合、買い手はいつでも代わりの業者を見つけられるため、交渉力が高まり、売り手同士を競い合わせる行動をとります。

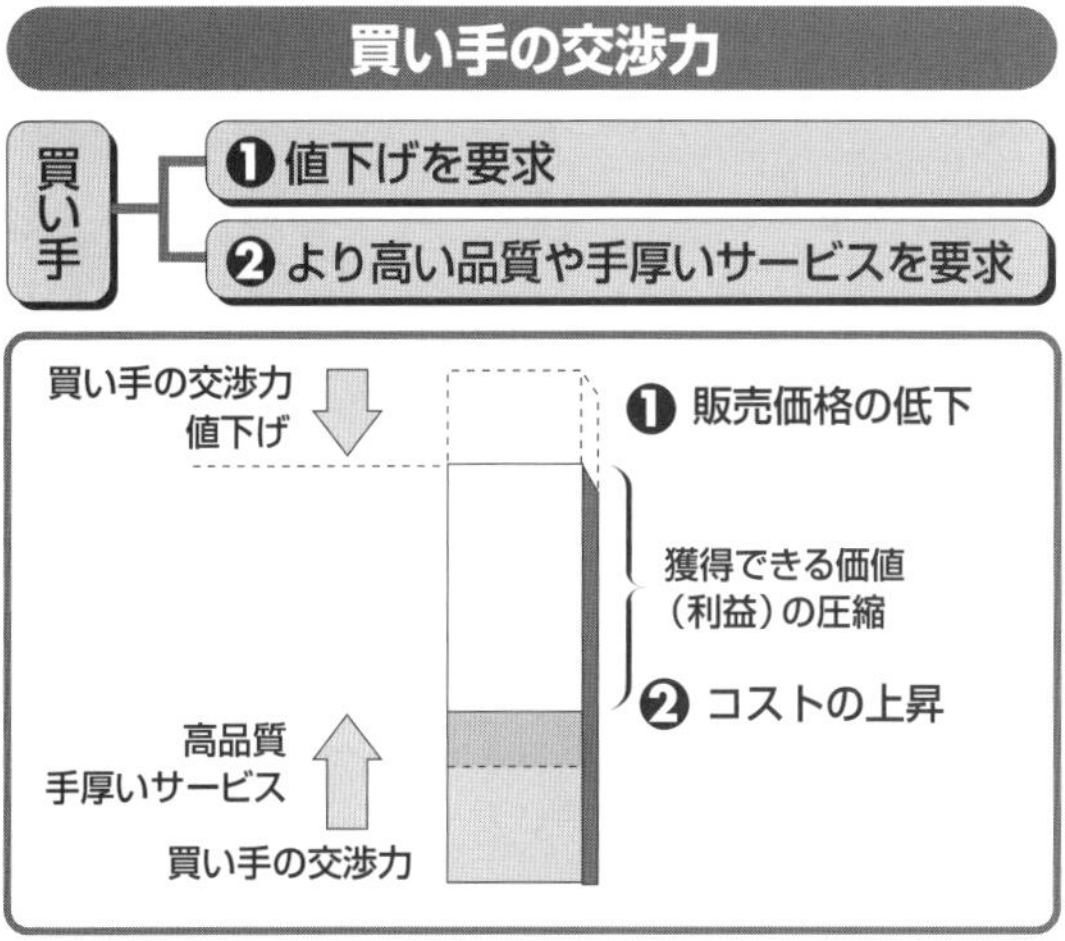

②売り手にとって、特定の買い手への売上依存度が高い場合

売り手の売上のうち特定の買い手への売上依存度が高まると、その影響力は強大となります。特に固定費が高いために、フル稼働で生産をしなければいけないような売り手の場合は、特に買い手の力は大きくなります。

③買い手の購入する製品が、買い手の購入全体に占める割合が高い場合

買い手の購入製品が買い手の購入全体に占める割合が高いなど、買い手にとって重要な製品の場合、労力やコストを費やし、気に入った価格のものを購入するという比較購買意識が高くなります。よって、価格についてうるさくなり交渉力を発揮します。

2-10 業界分析「ファイブフォース分析」⑩ 買い手の交渉力2

前項における買い手の交渉力が高まる場合七つのうちの残り四つを見ていきます。

④取引先を替えるコストが低い場合

新たな取引先を探すためのコストや、取引先を替えたことにより発生する従業員の再教育など付随のコストが多くかかる場合は、買い手が売り手をスイッチすることは、ハードルが高くなります。逆に、取引先を替えるコストが低い場合は、売り手をスイッチするハードルは低くなるため、交渉力が高くなります。

⑤買い手の情報量が多い場合

買い手が、製品・サービスの需要動向、実勢価格、競合製品の価格、売り手のコストなどについて十分な情報を持つ場合、買い手はその情報を利用して有利な価格提示をできる立場をつくります。

買い手の交渉力が強まる場合

1. 代替品がたくさんある場合
2. 売り手にとって、特定の買い手への売上依存度が高い場合
3. 買い手の購入する製品が、買い手の購入全体に占める割合が高い場合
4. 取引先を替えるコストが低い場合
5. 買い手の情報量が多い場合
6. 売り手の製品が買い手の製品やサービスの品質にとってあまり影響がない場合
7. 買い手が川上統合を計画している姿勢を示す場合

⑥売り手の製品が買い手の製品やサービスの品質にとってあまり影響がない場合

買い手の製品の品質が、売り手の製品によって大きく影響する場合は、買い手にとって、売り手の製品は価値が高いものであるため、価格に関してうるさくはないはずです。しかしそうでない場合は、価格交渉力を持つことになります。

⑦買い手が川上統合を計画している姿勢を示す場合

大手自動車メーカーが、部品供給業者に対して「内製する」などと脅しを行う場合など、買い手が川上段階を統合しようとする姿勢を打ち出す場合は、交渉力が増すことになります。

3. アドバンテージマトリックス

3-1 アドバンテージマトリックス

業界の競争環境を分析するフレームワークとして、ボストン コンサルティング グループのアドバンテージマトリックスがあります。このマトリックスは業界の競争要因が多いか少ないかという軸と、競争優位性構築の可能性が大きいか小さいかという軸によって、事業のタイプを以下の四つに分類するものです。それぞれの事業タイプにより、成功の可能性も異なってくるため、事業によってどのような優位性を構築できるかを考えなければなりません。

①規模型事業：規模の利益を追求することで優位性を構築できる事業のことです。仮に差別化を試みたとしてもコストが高くなるだけで、収益性が向上しない業界です。自社の事業が属しているなら、ある程度の規模を追求できることが収益性向上の条件となります。

②特化型事業：競争要因（競争上の戦略変数）が多く存在し、かつ、差別化や集中化によっ

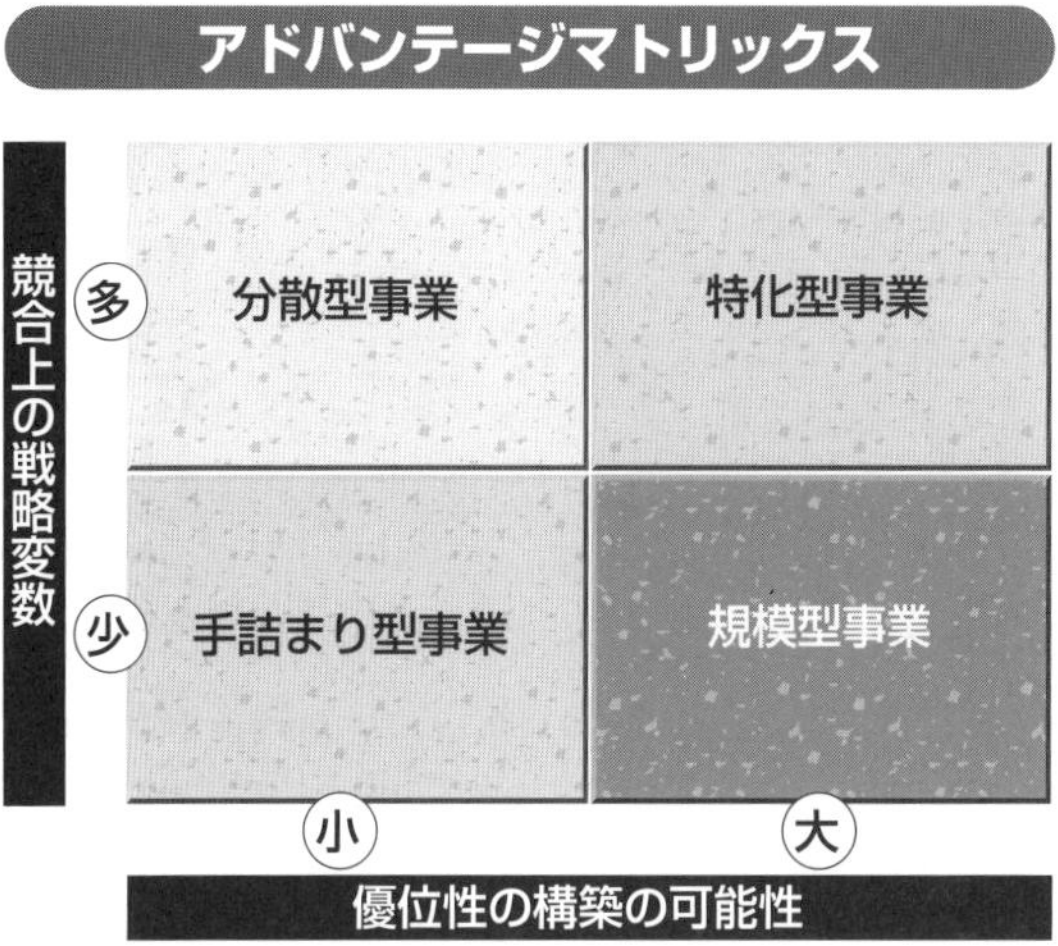

て特定の分野で独自の地位を築くことで競争優位性が保て収益性が確保できる事業です。

③手詰まり型事業：優位性構築が困難な事業です。過去には規模による格差が存在したものの、コスト低下が進み、企業間格差がなくなってしまった業界です。自社事業が属しているなら、撤退するかまたは他の事業の比率を上げることを目指すのが賢明です。また、例えばM&Aなどにより川下、川上へ進出し付加価値を高める方法も考えられます。

④分散型事業：競争要因が数多く存在するものの圧倒的な優位性構築が困難な事業です。

事業が小規模な段階では高い収益性を維持できますが、事業規模を拡大すると、収益性を維持できなくなります。

4. 競争優位を構築するための三つの基本戦略

4-1 ポーターの三つの基本戦略①
競合に打ち勝つ三つの基本戦略とは

企業が競合相手として、認識しなければならないのは、以上述べてきたように、単に既存の業界の中の競争業者だけではなく、新規参入の脅威、代替品の脅威、売り手の交渉力、買い手の交渉力を含めた五つの競争要因です。

企業の現在のポジションにおいて、五つの力のうちどれが最も強く影響を及ぼす力であるかを理解することで、我々は現在及び将来にわたって企業が直面している大きな機会と脅威を診断するための重要な視点を得たことになります。

他社より魅力ある特定のポジションを構築するために、この五つの競争的な力に対抗するための戦略を検討します。

競争戦略とは、ポーターによれば、「業界内で防衛可能な地位をつくり、この五つの競争要因にうまく対処して、企業の投資収益を大きくするための、攻撃的または防衛的アクショ

ポーターの3つの基本戦略

戦略ターゲットの幅	競争優位のタイプ：他社よりも低いコスト	競争優位のタイプ：顧客が認める特異性
広いターゲット（業界全体）	**コストリーダーシップ戦略** 業界全体の広い市場をターゲットに他社のどこよりも低いコストで評判を取り、競争に勝つ戦略	**差別化戦略** 製品品質、品揃え、流通チャネル、メンテナンスサービスなどの違いを業界内の多くの顧客に認めてもらい、競争相手より優位に立つ
狭いターゲット（特定の分野）	**集中戦略** 特定市場に的を絞り、ヒト、モノ、カネの資源を集中的に投入して競争に勝つ戦略 **コスト集中** 特定市場でコスト優位に立って、競争に勝つ戦略	**差別化集中** 特定市場で差別化で優位に立って、競争に勝つ戦略

出所：M.E.ポーター著、土岐坤他訳『新訂 競争の戦略』ダイヤモンド社、1982年に基づき作成
（グロービス著『MBAマネジメント・ブック』ダイヤモンド社）

ン」と定義されています。

ポーターは、防衛可能な地位をつくって、他社との競争優位を築くためには、以下の三つの基本戦略があると主張しています。

①コストリーダーシップ
②差別化
③集中

この三つは、非常に重要な概念であるため、次項からそれぞれについて詳細に説明します。

4-2 ポーターの三つの基本戦略②
コストリーダーシップ1

コストリーダーシップとは、どの競合よりもコストの面で優位に立ち、コストのリーダーシップをとろうとする戦略です。簡単にいえば、他の競合よりも低コストを実現することをめざす戦略です。

低コストの地位を獲得できると、前述の五つの競争要因からの防御が可能になり、業界の平均収益率以上の収益率を達成することができます。

アーカーは、コストリーダーシップを実現するために、次の方策を挙げています。

①ノーフリル（実施本位）の製品とサービス：本来の機能とは直接関係しない特別な機能や付属的機能を製品・サービスから取り除く。

②製品設計：標準部品の仕様など製造がしやすい製品設計にすること。

③オペレーション：価値連鎖（バリューチェーン）を精査し、どの活動でコストが削減で

コストリーダーシップ実現のための5つの方法

❶ ノーフリル（実施本位）の製品とサービス
❷ 製品設計
❸ オペレーション
❹ 規模の経済
❺ 経験曲線

きるかを検討する。例えば、サプライチェーンマネジメントによる在庫の削減等です。また、企業は時には、最優秀の生産設備に再投資するなど巨額の投資が必要になり場合もあります。

④規模の経済：規模の経済性とは、製品の生産量が増えれば増えるほど、製品の単位あたりのコストが削減できるというもので、スケールメリットを追及するものです。規模の経済によるコスト削減は、資材の大量購入による仕入単価の削減や、間接費用の分散などとして実現されます。

4-3 ポーターの三つの基本戦略③ コストリーダーシップ2

コストリーダーシップの実現のためのもう一つの方策を見ていきます。

⑤経験曲線：経験曲線とは、累積生産量が増えるごとに、経験によってコストが削減されることをいいます。企業は、経験を増やすことによって、コスト削減を追及します。

経験曲線効果が起こる背景には、反復によって作業を効率的に行えるようになる学習効果、生産・作業における技術改良、製品設計の変更などがあります。

ポーターは、コストリーダーシップを実現するには、最優秀な生産設備、事前の巨額の投資、攻撃的な価格政策、市場シェアを確保するための出発時の赤字の覚悟が必要だとしています。そして高いマーケットシェアが確保できると、結果として原材料の大量購入ができるようになり、さらにコスト優位に立てるようになります。一旦コスト優位に立つことができると、収益率が高くなるため利益を蓄積することができて、その蓄積された利益

経験曲線

経験曲線とは

累積生産量が増えるごとに、経験によって製品の単価当たりコストが削減されること

経験曲線の背景

反復によって作業を効率的に行えるようになる学習効果

生産・作業における技術改良

製品設計の変更など

によってコストリーダーシップを維持するために新しい設備や機械へ再投資することができるようになります。コストリーダーシップはこのような投資のサイクルが不可欠となります。

　コストリーダーシップの留意点は、いうまでもなく、やみくもなコスト削減をしてはいけないことです。安かろう悪かろうでは顧客は離れていってしまいます。常にコストと提供する価値を天秤にかけ、コストパフォーマンスを追及しなければなりません。

4-4 ポーターの三つの基本戦略④ 差別化1

差別化とは、自社の製品・サービスを競合他社のものと差別化することによって顧客から評価を受ける戦略をいいます。企業は、差別化によって、五つの競争要因に対処できる安全な地位をつくり、収益を上げることができます。

差別化によって、顧客のブランドへの忠誠度が増し、顧客は価格に対して鈍感になり、企業は高価格を維持することができ、高マージンを獲得することができます。

その差別化とは、今までにない製品特性やサービスを付加することや製品やサービスの提供におけるなにかを競合他社が行うのと比べてよりよく行うことで実現されます。差別化のポイントとしては、製品やブランドイメージ、テクノロジー、顧客サービス、チャネルなどがありますが、具体的な方法として、アーカーは次のものを挙げています。

①成分あるいはコンポーネント：製品に使用する成分、材料。

差別化の具体策

❶ 成分あるいはコンポーネント	❺ 製品ラインの広範さ
❷ 製品提供：製品の性能	❻ サービスバックアップ
❸ 製品の組み合わせ	❼ チャネル
❹ サービスの追加	❽ デザイン

②製品提供：製品の性能が高いなど。
③製品の組み合わせ：製品のオプションが多いなど。
④サービスの追加：航空会社が空港内にマイレージカード所持者にのみ利用できるクラブを設けるなど。
⑤製品ラインの広範さ：品揃えが多いなど。
⑥サービスバックアップ：自動車販売会社のきめ細かなディーラーサービスなど。
⑦チャネル：特定の決められた店舗にしか流通させないなど。
⑧デザイン：建物の外装、包装のオリジナリティ、形の斬新さなど。

4-5 ポーターの三つの基本戦略⑤ 差別化2

前項のように、差別化を行う方法はたくさんありますが、成功する差別化戦略には、①顧客価値を創造すること、②知覚価値を提供すること、③模倣が難しいこと、という三つの特性があります。

①顧客価値を創造すること

顧客のために価値を付加する際、ビジネスの基本で当然ではありますが、自社の視点ではなく、顧客の視点から差別化を行うことが必要になります。

②知覚価値を提供すること

顧客のために付加された価値は、顧客によって知覚されなければ意味がないものになります。もし顧客によって知覚されていない場合は、顧客に伝わっていないか、その付加された価値が効果的に伝わっていないかのどちらかであるといえます。

成功する差別化戦略の特性

1. 顧客価値を創造すること
2. 知覚価値を提供すること
3. 模倣が難しいこと

アーカーは、顧客に付加された価値をより記憶しやすく、かつ分かりやすく、信頼できるものにするための方法の一つとして、付加価値にブランドをつけることが有効であることを指摘しています。

③模倣が難しいこと

その差別化が持続可能でなければならないということを意味しています。店舗の営業時間の延長などは、まねしようと思えばすぐまねができてしまいます。持続可能であるためには、前述した優れた資産、特徴的能力、戦略的連携を組み合わせることによって構築されます。

4-6 ポーターの三つの基本戦略⑥集中

集中戦略とは、特定の顧客グループ、製品の種類、特定の地域市場、特定の流通チャネルなどへ企業の資源を集中する戦略です。コストリーダーシップと差別化戦略は、業界全部にわたり展開しますが、集中戦略は、特定のセグメントに専念します。

集中戦略は、戦略の実行が散漫になることを防止し、少ない経営資源でも効果的で効率のよい戦略実行が行えるため、経営資源が潤沢な大きな競合他社からの防衛ができます。

集中戦略には、特定の製品・サービスに対して徹底したコスト削減を行う「コスト集中」と、特定の製品・サービスに対して、徹底的に差別化を行う「差別化集中」があります。

集中を果たすと、前述の五つの競争要因からの防御ができます。特に、経営資源が希薄で広範なマーケットにおいて、差別化戦略、コストリーダーシップが展開できないベンチャー企業などは、この戦略を展開しなければなりません。

集中戦略の具体策

1. 製品ラインの集中
2. 顧客ターゲットの絞り込み
3. 地理的エリアの限定

具体的な方法としては、①製品ラインの集中、②顧客ターゲットの絞り込み、③地理的エリアの限定などが考えられます。

①製品ラインの集中：製品ラインの集中で技術的優秀性を強化できる可能性があります。

②顧客ターゲットの絞り込み：マスをターゲットとしている大きな競合相手よりも、特定の顧客について、より研究することができ、そのニーズを満たすことで大きな競合よりもその顧客の満足を得ることができます。

③地理的エリアの限定：地域独自の慣習、味、行事、などに緻密に対応することによって全国ブランドでは対抗できない持続的競争優位を獲得します。

5．価値連鎖（バリューチェーン）

5-1 価値連鎖（バリューチェーン）①

これまでで、競合に対して競争優位を構築するための戦略として、コストリーダーシップ、差別化、集中という三つの基本戦略があることを述べました。それではこのような基本戦略を具体的にどのように構築すればよいのでしょうか。

ポーターの三つの基本戦略を具体的に考えていくものとして、価値連鎖（バリューチェーン）があります。価値連鎖は、事業活動を機能ごとに分解して、どの部分において競争優位性を構築することができるかを分析、評価するフレームワークだということができます。価値連鎖内の各機能は業界や個々の企業によって異なります。また、これらの機能のフローも企業によって異なります。ただ、異なるといっても、どの企業もほぼ類似したパターンを持っています。競争優位は、会社全体を眺めていたのでは構築できず、全体を生産から販売、アフターサービスまでの多くの別々の活動に分解し、それぞれの活動において競争

価値連鎖（バリューチェーン）1

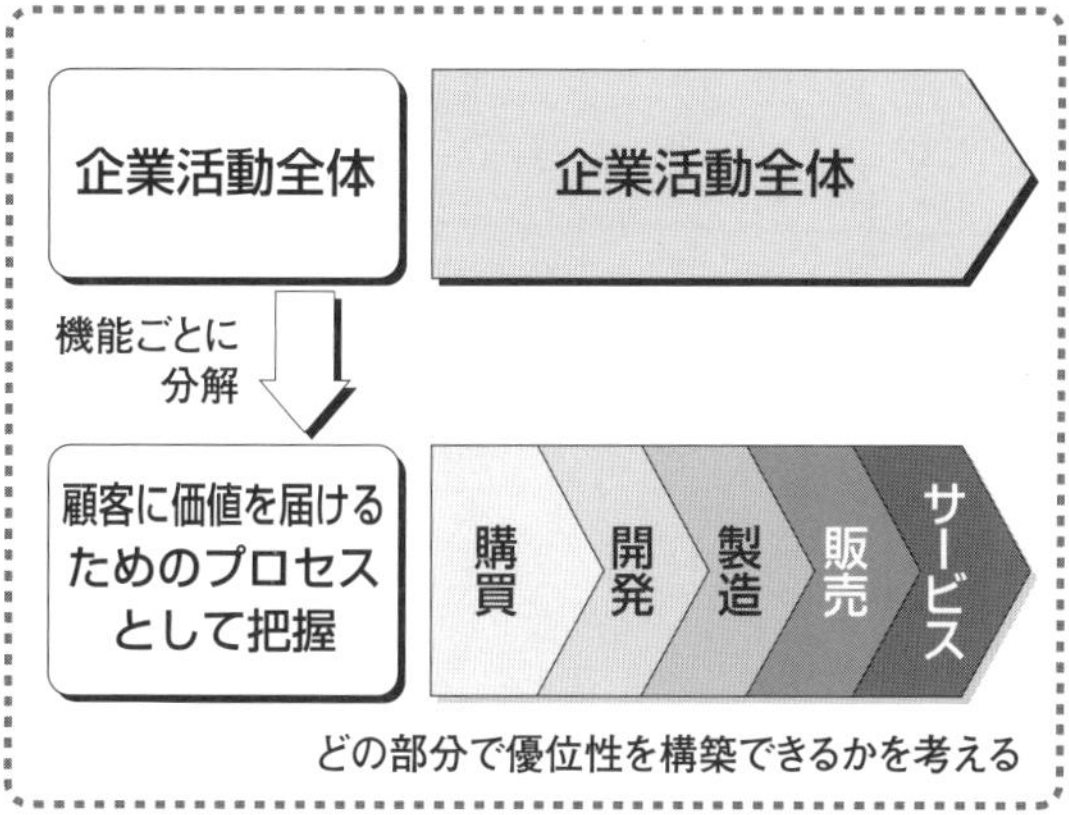

優位を考えることによって構築されます。

例えば、コストリーダーシップによって競争優位を確保しようとする企業は、あらゆる活動において顧客にとって最低限必要な機能を持ちつつも、すべての活動においてコストの削減を考える必要があり、どの活動でコストを削減することができるかを考えていきます。

また、差別化によって競争優位を確保しようとする企業は、どの活動において差別化を図るのかを考えていきます。次項では、価値連鎖モデルについて説明します。

5-2 価値連鎖（バリューチェーン）②

価値連鎖モデルは、競争優位を生み出す源泉がどういう構造になっているかを示せるように、活動を価値創造活動に分割して表したものです。価値連鎖は価値のすべてを表しています。つまり図のように、企業の活動を主活動とそれを支援する支援活動に分け、それにマージンを加えて、価値全部を表しています。

主活動は、製品・サービスを直接的に顧客に届けるための活動で、①購買物流、②製造、③出荷物流、④販売とマーケティング、⑤サービスの五つに分類することができます。

また、支援活動は、直接的に製品・サービスを顧客に届ける活動ではないですが、主活動を支えている活動のことをいい、①調達活動、②技術開発、③人事・労務管理、④全般管理（インフラ）に分類することができます。

企業は、それぞれの価値創造活動について、コストとその成果を精査し、競合企業との

価値連鎖（バリューチェーン）2

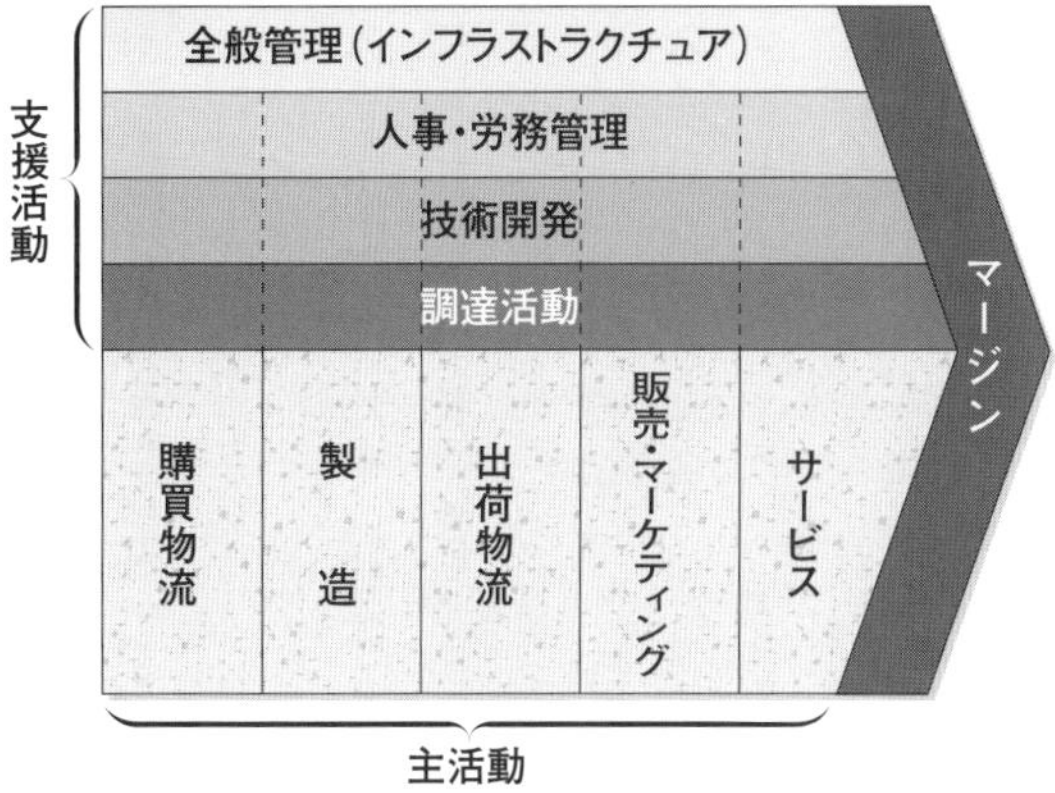

（出所）：M.E.ポーター著、土岐坤訳『競争優位の戦略』ダイヤモンド社.1985年

比較において、改善点を探索しなければなりません。そして常にイノベーションに取り組み、少しでも他社との競争優位性を保てるよう差別性を創り出していく必要があります。

図の点線は、支援活動の調達活動、技術開発、人事・労務管理が各々の主活動と結びついて、全連鎖を支援していることを示しています。支援活動の全般管理（インフラ）は、各々の主活動とは関連性を持たず、連鎖の全体を支援しています。

また、このフレームワークは、新規事業を開発したり、協力企業とのアライアンスを構築する際にも重要な情報を与えてくれることになります。

6．戦略的ポジショニング

6-1 戦略的ポジショニング①

戦略的ポジショニングは、非常に重要な概念です。企業の戦略的ポジショニングを決定することが、企業の事業戦略を決定することになります。そしてこれに基づいて、マーケティング施策が展開されることになります。

戦略的ポジショニングとは、当該事業がその競合や市場との関係でどのように知覚されるかを明示するものであるといえます。

今までさまざまな観点から、戦略について論じてきました。まず企業を取り巻く外部環境と企業自身の内部環境について分析することを学びました。外部環境では、ことに市場（顧客）、競合、マクロ環境などを把握し、機会と脅威を探り、内部環境分析から自社の企業文化、組織体制、経営資源などを分析し、自社の強み・弱みを洗い出し、それに対応する形で、戦略を構築することを学習しました。

戦略的ポジショニングとは

戦略的ポジショニング

当該事業がその競合や市場との関係でどのように知覚されるかを明示

戦略的ポジショニングが成り立つ条件

市場	❶ ターゲット市場に受け入れられる
競合	❷ 競合相手との差別化
自社	❸ 自社の組織、文化、諸資源との適合

従って、戦略的ポジショニングを立案、選択するときも当然今までの分析内容と整合性がとられている必要があります。

重要な点は、Customer：市場（顧客）、Competitor：競合、Company：自社の3Cに適合するものでなければならないということです。

①ターゲット市場に受け入れられるもの
②競合相手との差別化
③自社の組織、文化、諸資源との適合

この戦略的ポジショニングを明確にすることにより、戦略立案プロセスに規律と明確性を与えることになります。

6-2 戦略的ポジショニング②

戦略的ポジショニングを立案するには、基礎とすべき軸があります。D・A・アーカーは、戦略的ポジショニングの基礎となる軸として、以下の一五の軸を挙げています。

①高品質：定義された製品領域において高品質なポジション。
②価格に対応する価値：価格に見合った価値を提供するポジション。通常コスト優位が必要になります。
③先駆者：業界で常に最前線に位置し、現代的かつ革新的であること。
④製品集中：絞り込まれた製品提供によって、製品熟知という信頼感を得る。
⑤ターゲットセグメント：ターゲットセグメントへの絞り込み。
⑥製品カテゴリー：製品カテゴリーの範囲。
⑦製品特性と機能的便益：市場が価値を認めるような製品特性や機能的便益によって位置

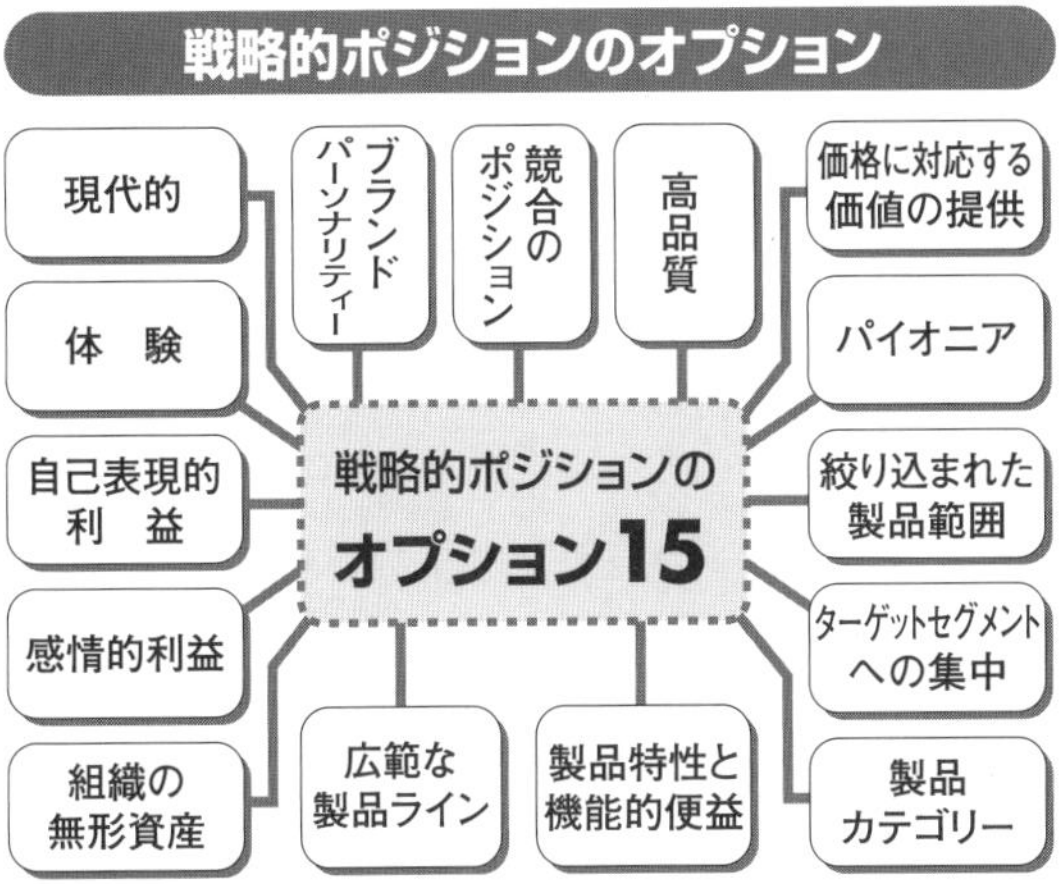

(出所):D.A.アーカー著、今枝昌宏訳『戦略立案ハンドブック』東洋経済新報社、2002年を参考に作成

づけること。

⑧広範な製品ライン：幅広い製品提供により、内容の確かさ、受け容れやすさ、利便性を訴える。

⑨組織の無形資産：製品属性イメージよりも持続し、競合の主張に影響されにくく、コピーされにくい企業組織としてのイメージでポジショニングを行う。

⑩感情的利益：「ボルボに乗っていると安全」など、「私は～と感じる」という文章で表される感情的利益に基づくポジション。

6-3 戦略的ポジショニング③

戦略的ポジショニングの基礎となる軸の続きとなります。

⑪自己表現的利益：人が自分を表現する手段とするために商品を購入しようとする力で、「GAPの服を買うとセンスがいい」などと「私は～だ」という文章で表現できるものです。

⑫体験：体験が機能的利益と感情的・自己表現的利益を統合し、より深く結合されたポジショニングを構築することです。

⑬現代的：今日の市場においてエネルギーとバイタリティーを持ち続けること。

⑭パーソナリティー：個性を持つ事業は、属性の集合にすぎない事業と比べて、記憶されやすく、好感をもたれることになります。例えば、マッキンゼーであれば、プロフェッショナルで優秀、ティファニーであれば、高級で信頼されているというものです。

⑮競合：競合相手が確立したポジションを有する場合、競合相手を戦略的ポジションの対

戦略的ポジションのオプションと代表的企業

戦略的ポジション	代表的企業
最高	アクセンチュア、サックス、フィフス・アベニュー
金額に対する価値	現代自動車、マイディスカウントブローカー
先駆者	ボーイング、バンク・オブ・アメリカ
製品集中	レッツ・ゴー・フライ・ア・カイト、アームコ
ターゲットセグメント	ガーバー、ゴールド・バイオリン
製品	ゲータレード、オラクル
製品特性	ボルボ、クレスト
製品ラインの範囲	アマゾン、バーンズ・アンド・ノーブル
組織の無形資産	HP、カイザー・ホスピタル
感情的利益	MTV、ホールマーク
自己表現的利益	GAP、メルセデス
体験	ナイキ、ノードストローム
現代的	レーン・ブライアント、オプラ
パーソナリティ	ハーレー・ダビッドソン、ティファニー
競合	VISA、エイビス

（出所）：D.A.アーカー著、今枝昌宏訳『戦略立案ハンドブック』東洋経済新報社.2002年、286頁

象物として利用するものです。

またアーカーは、戦略的ポジショニングを構築するとき、多くの場合は三つから六つの軸を表現することが必要であることを指摘しています。

繰り返しますが、持続可能な競争優位を作り出すポジションを選択するには、①ターゲット市場に受け入れられるもの、②自社の組織、文化、諸資源との適合、③競合相手との差別化、という三点を絶対に外さず、総合的に軸を選択して構築する必要があります。

第6章

戦略実行とコントロール

本章では、経営戦略を策定した後の戦略の実行とコントロールについて学習します。経営戦略を策定しただけでは、単なる絵に描いたもちに過ぎず、当然、現実に実行しなければ（できなければ）意味がありません。ここでは、多くの情報と利害関係者、そして社内の各機能と結びついた、実行可能かつ継続的に運営可能な戦略実行プロセスを学んでいきます。

第1節では、戦略を実行する際に考慮に入れなければならない事項をマッキンゼー社の7Sモデルを使って説明します。七つのSとは、戦略（Strategy）、組織（Structure）、システム（System）、価値観（Shared Value）、スキル（Skill）、人材（Staff）、経営スタイル（Style）の頭文字をとって表していますが、これらが有機的に結びついているため、戦略の実行にあたり、それぞれについて他の要素と整合性がとれているか考慮します。

第2節では、実行の後のコントロールを学習します。重要なのは戦略を実行することと自体でなく、その戦略の実行を通して、目標を達成することです。そのため、常に実行後の成果を測定・評価し、戦略を見直すといったフィードバックが重要となります。ここでは、コントロールにおける定量的コントロールと定性的コントロールについて学習します。そして次回以降の戦略策定にフィードバックを活かしていくことの重要性を学習します。

1. 戦略の実行

1-1 戦略の実行① 七つのSとは

経営戦略を実行する際、フレームワークとしてマッキンゼー社の「七つのS」という考え方が有効です。戦略を策定しても、組織や社内システムと整合性がとれ、また社員のコンセンサスや社員のスキル等が備わっていないと確実に実行することができません。七つのSは以下の三つのハードSと四つのソフトSから成り立っています。

【三つのハードS】

①組織（Structure）：組織の形態をどうすべきか、権限分掌をどう図るか。

②戦略（Strategy）：事業の競争優位性を維持・確保するための強みは何か。

③社内のシステム（System）：情報伝達のプロセスや報告様式は何を重視するか。

【四つのソフトS】

④人材（Staff）：優れた人材を採用、教育し、適材適所の仕事を任せているか。

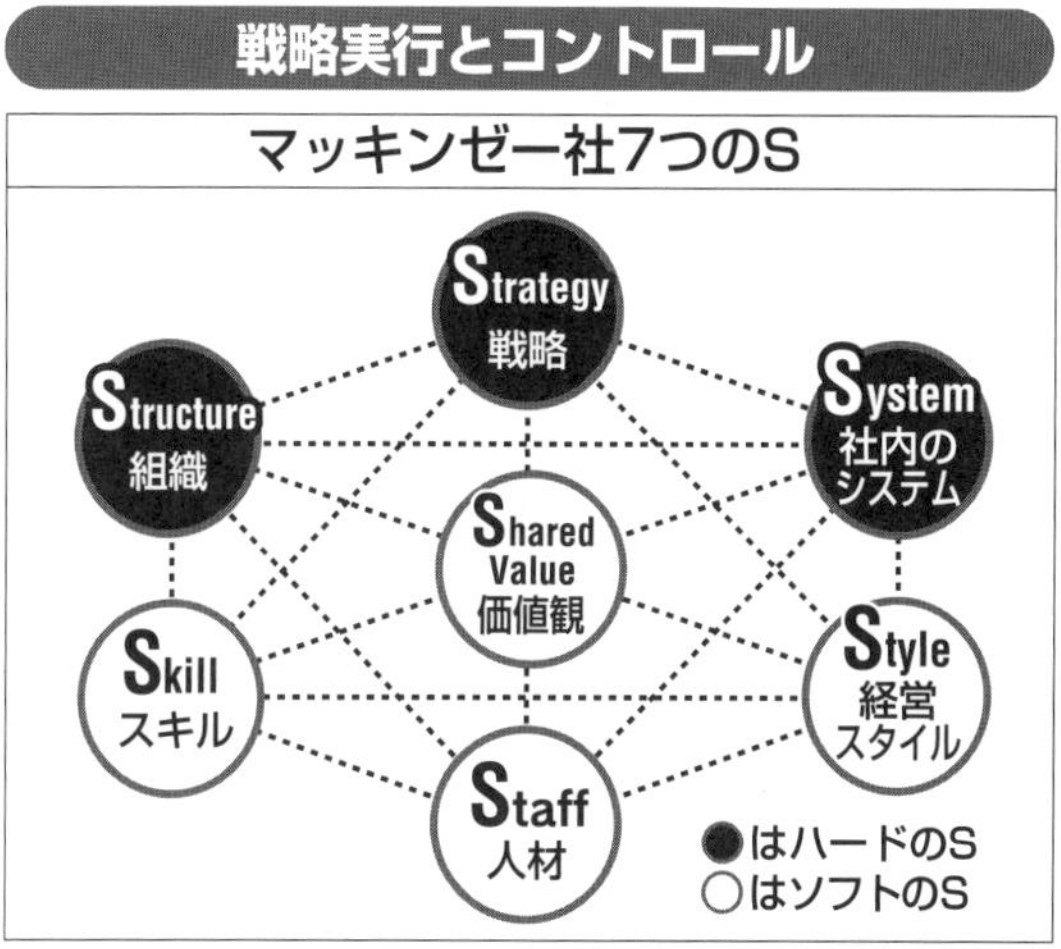

⑤スキル（Skill）：戦略遂行に必要な専門技術を持っているか。
⑥経営スタイル（Style）：従業員が共通の行動と発想スタイルを持っているか。
⑦価値観（Shared Value）：従業員が同じ価値観や使命を共有しているか。

ハードのSに比べ、ソフトのSは、すぐに変更することが困難であるため、このことを考慮に入れ実行計画を立てることが重要になってきます。以下では七つのSのうち、戦略以外の六つについてそれぞれ見ていきます。

1-2 戦略の実行② 組織1

では前述の七つのSのうち、戦略を除く六つについて見ていきましょう。

■組織（Structure）

戦略の実行段階において組織は非常に重要になります。「組織は戦略に従う」のか「戦略は組織に従う」のかということは、経営学において大論争となっています。いずれにせよ、この二つは密接に関わりがあるため、経営戦略を立てる際は必ず組織構造を見直さなければなりません。組織構造は、権限、情報の伝達のラインを定義して、組織的戦略実行を遂行するメカニズムを定めるものだといえます。

戦略の実行に際し、組織構造について考えなければいけないことは、集権化の程度です。権限が集権化している組織としては、機能別組織が挙げられます。機能別組織は、開発、製造、営業、生産といった経営機能ごとに組織編成します。スキルや知識の伝達・共有化

機能別組織

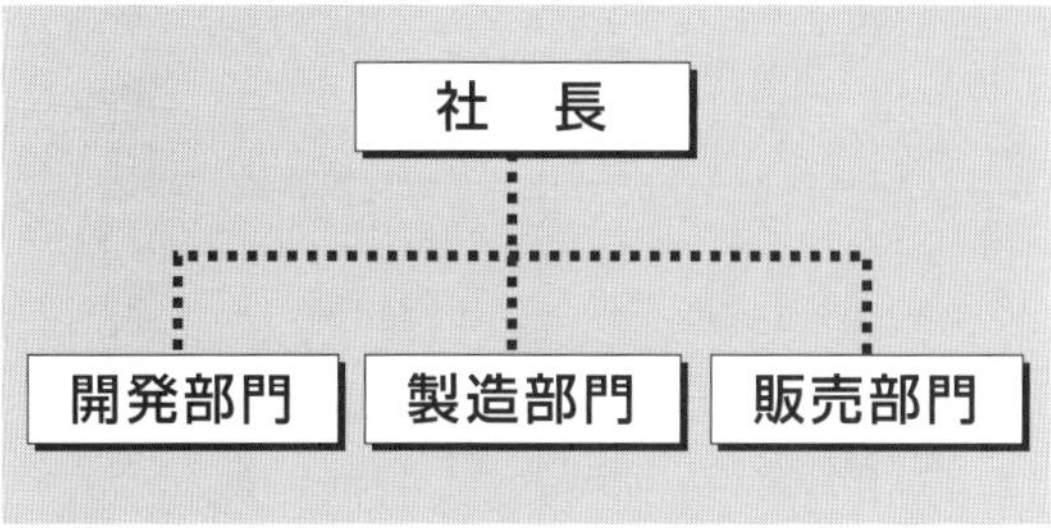

がしやすく、専門性を高めやすく、効率性が追求できるというメリットがあります。

一方、問題点としては、組織の権限や責任が限定されており、専門的なものの見方に片寄る傾向があります。そのため全社の利益最大化よりも、各組織の利益最大化を追求する傾向があり、幅広い知識を持ったマネージャーが育ちにくく、組織間の紛争が起こりやすいことが指摘されています。その結果、最終的な意思決定がトップ・マネジメントに集中することが多くなり、職能間の調整に手間取ったり、決定に時間を要する事態が起こります。また責任の所在も不明確であるため、事業形態が緊密に関連した単純で製品の種類が少ない場合に有効といわれています。

1-3 戦略の実行③ 組織2

分権化された組織は、機能別組織とは対照的に、製品や市場分類に基づき、市場のニーズに応じた戦略立案能力を有する自立的な事業単位を持っています。分権化のメリットは、焦点の定まった業績評価を提供し、市場から近い場所での事業戦略の立案を可能とし、官僚主義を最小化して革新を起こりやすくし、事業の性質に応じた文化を醸成する点です。

また分権化のデメリットは、規模の経済と組織全体のシナジー達成が難しく、非効率と重複が生じる点です。代表的な分権化組織としては、事業部制組織やマトリックス組織などがあります。なお、分権化組織については、本書の姉妹書である『通勤大学MBA6 ヒューマンリソース』に詳述してあります。

また、特定の経営課題に対して臨時的に編成する組織形態もあります。経営活動が多様化、高度化して、部門間にまたがる課題が多く生じていること、分業化によるセクショナ

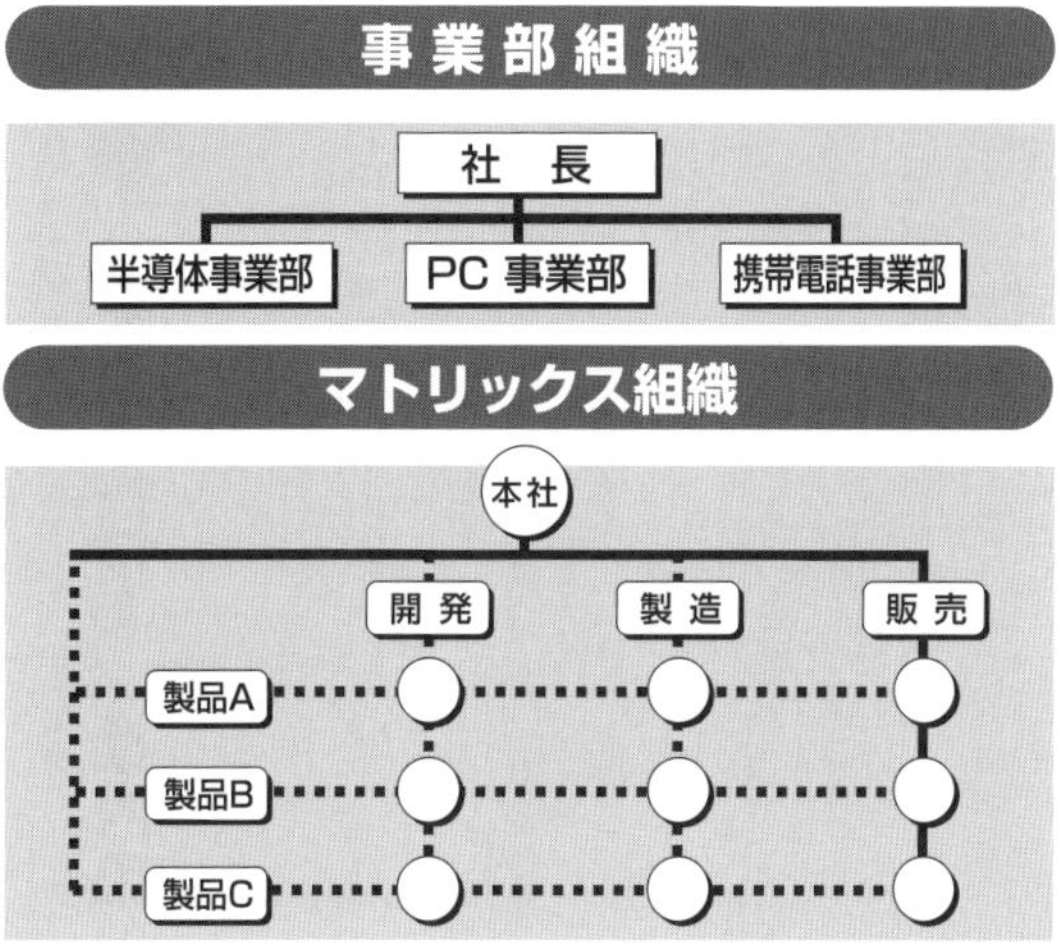

リズムが組織間にまたがる経営課題解決を阻害している場合にこの組織が採用されます。代表的なプロジェクト組織としては、プロジェクトチーム、タスクフォース（特別作業部隊）、委員会制度などがあります。

さらにグローバルな環境では、市場と競合は大きく変化する可能性があり、これに迅速に対応することが必要となります。このような環境では、必要な資産と能力を開発していたのでは間にあいません。急速な環境変化に迅速に対応する一つの方法に、外部ネットワークとの戦略的連携を組むことが挙げられます。これにより、必要な資産と能力がすぐに使用可能となり、企業は得意分野に集中でき、戦略実行を確実なものにします。

1-4 戦略の実行④　社内のシステム

■社内のシステム（System）

次に「社内のシステム」について見ていきます。社内システムも戦略の実行と密接に関わっており、きわめて重要です。重要なシステムには、以下のものがあります。

①プランニングシステム

忙しい経営者にとって、日常的な諸課題に追われて、戦略を練る時間を割くのは非常に難しくなっています。年次の戦略プランニングを策定するプロセスは、経営者に戦略的な不確実性について考える時間を与えます。この大事なシステムは、決して過去の実績の積み増しなどで考えるのではなく、クリエイティブな思考で考えなければなりません。

②予算・会計システム

過去の戦略に対応していた予算・会計システムも、新しい戦略のニーズに適合するよう

重要な社内システム

❶ プランニングシステム

❷ 予算・会計システム

❸ 情報システム

❹ 業績評価・報酬システム

に更新せねばなりません。

③情報システム

メーカーと小売店を結ぶシステムなどの情報システムとその基礎となる技術、データベースやエキスパートシステムは、戦略と密接に結びついています。企業の情報システムの現状の能力と将来の方向性は、戦略立案・実行の重要な要素となります。

④業績評価・報酬システム

業績評価は戦略実行における行動規範となるため、戦略の実行に直接影響を及ぼす可能性があります。モチベーションを向上する報酬システムとリンクした適切な業績評価を導入することが、戦略実行の原動力となります。

1-5 戦略の実行⑤　人材

■人材（Staff）

戦略の実行にとって人材はきわめて重要です。なぜなら戦略は、組織の能力に基礎を置いており、またその組織の能力は人を基礎にしているからです。従って戦略実行にはある特定の領域の人を必要とします。例えばアーカーは次のような領域を挙げています。

◆マーケティング、製造、組み立て、ファイナンスなどの機能領域
◆製品または市場エリア
◆新製品プログラム
◆特定の種類の人と管理
◆特定の種類のオペレーションの管理
◆成長と変革の管理

人を動機付ける方法

金銭的なインセンティブ
昇　進
自己実現的な目標
組織内グループ目標の設定
権限委譲
職位の授与　　など

そしてこのような人材をどのように採用・育成し、動機付けしていくかが重要となります。特に動機付けのレベルは戦略の実行に影響を及ぼすことになります。

人を動機付ける方法はいろいろ考えられ、金銭的なインセンティブ、自己実現的な目標、組織やQCなどのような組織内グループ目標の設定などを挙げることができます。また、社員に目標達成のために権限委譲すると、動機付けが強化されたり、その場合に職位を与えるのも動機付け強化につながったりします。詳しくは、人的資源管理・組織行動の専門書によって理解を深めてください。

1-6 戦略の実行⑥ スキル

■スキル（Skill）

スキルには個人的なスキルと組織的なスキルとがあります。

個人的スキルは、個人の戦略実行能力のことで、前述の戦略実行に必要なそれぞれの領域における能力をいいます。組織的なスキルとは、組織全体としての戦略実行能力をいいます。

もし企業が行う戦略が企業内部にはないスキルを必要とする場合、企業は戦略実行のためそのスキルを何らかの形で調達する必要があり、その調達方法には二種類の方法が考えられます。

一つは、内製アプローチといわれるもので、社員を採用あるいは訓練することによって特定の領域で必要なスキルをもつ人材を受けいれたり、そのスキルを身につけさせるもの

スキルの調達方法

内製アプローチ

社員を採用あるいは訓練することによって特定の領域で必要なスキルをもつ人材を受け入れたり、そのスキルを身につけさせる方法

調達アプローチ

経験ある人々を外部から招きいれる方法。戦略における劇的な変化に迅速に対応するための即効性のある手段となりうる

です。人の組織への適合を確実なものとする可能性がありますが、採用によるミスマッチが生じたり、スキルが備わるまで何年もの年月を要するというデメリットもあります。

もう一つは、購入アプローチといわれるもので、経験ある人々を外部から招きいれる方法です。戦略における劇的な変化に迅速に対応するための即効性のある手段となります。アウトソーシングの活用などがこれにあたり、支出を変動費とすることができ、財務上のメリットも兼ね備えています。しかし、異なったシステムと文化に慣れ親しんだ人々を受け入れることになるというリスクも伴うことになります。

1-7 戦略の実行⑦　経営スタイル・価値観

それでは、残りの経営スタイルと価値観を見ていくことにします。

■経営スタイル（Style）

経営スタイルとは、文字どおり企業の経営の様式のことです。これも戦略の実行には影響してきます。例えば、経営者の経営方針が保守的あるいは急進的であるとか、トップの意思決定のスタイルがボトムアップ型あるいはトップダウン型であるとか、役員やマネージャーの時間の使い方や仕事の優先順位づけをどのように行っているかなどです。

■価値観（Shared Value）

企業内で共有化された価値観は、組織にとっての優先順位を定義し、何が重要なのかを特定しているといえます。前述した企業の存在意義に対する共通認識であるミッションやビジョンなどもこれに該当します。このような価値観から組織構成員としての行動規範が

7つのSの整合性

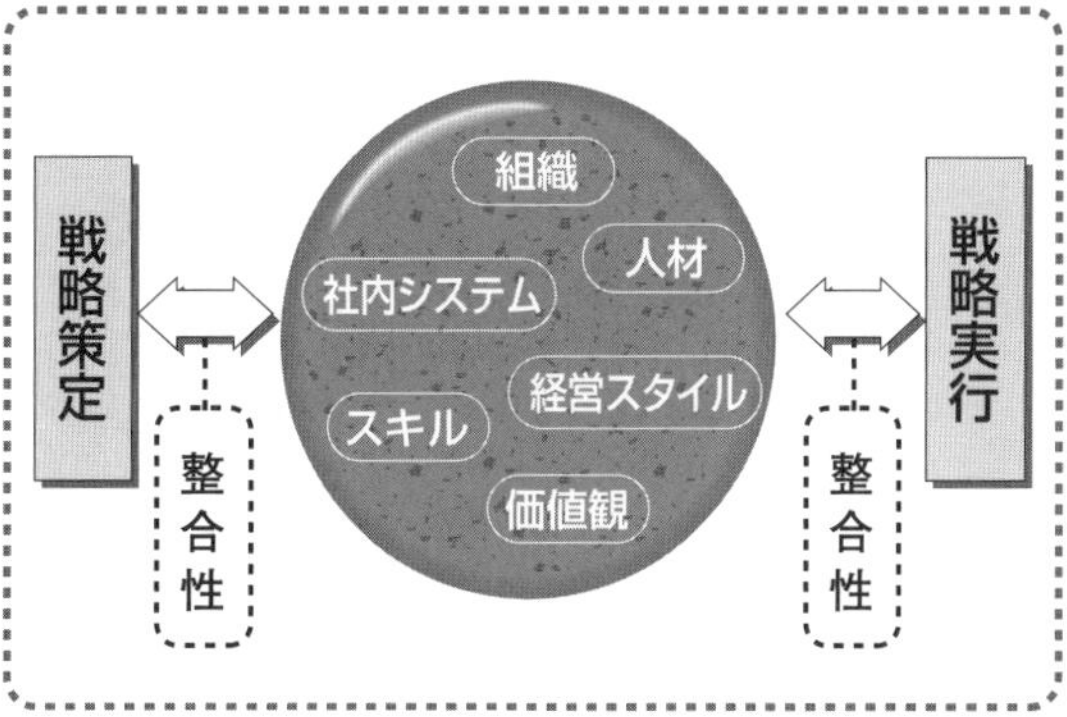

生まれており、戦略の実行において必ず考慮に入れなければなりません。

以上マッキンゼーの七つのSモデルに従って、戦略の実行と密接に関わりがある組織、社内のシステム、人材、スキル、経営スタイル、価値観について見てきました。

戦略とこれら六つは必ず整合性がとれていなければなりません。戦略の策定時、実行時において必ず考慮に入れなければならないことです。つまり、環境分析における自社分析においてしっかりと現状を把握し、実行可能な戦略を立案することと、もし自社で整合性がとれていない部分が存在する場合は、必ず整合性がとれるよう対策を練ることがきわめて重要になってきます。

2．戦略のコントロール

2-1 戦略のコントロール

マネジメントは、計画（Plan）→実行（Do）→点検（Check）→是正（Action）の順序で行われます。これはそれぞれの頭文字をとり、ＰＤＣＡサイクルといわれます。サイクルであるため、是正（Action）の後は、次の計画へとつながっていきます。戦略策定や予算編成などの計画に基づき実行し、成果を測定・評価して、是正措置をとります。点検（Check）、是正（Action）の部分をコントロールといいますが、この部分は次期の計画（Plan）へ現状の課題をフィードバックし、経営に役立てる意味で、非常に重要な意味を持っています。

具体的コントロールは、定量的なコントロールと定性的なコントロールに分かれます。定量的コントロールの代表的なものには、予算統制と経営指標分析があります。予算統制とは、計画において編成された予算と実績を比較して、その差異の原因分析を行うもので

戦略のコントロール

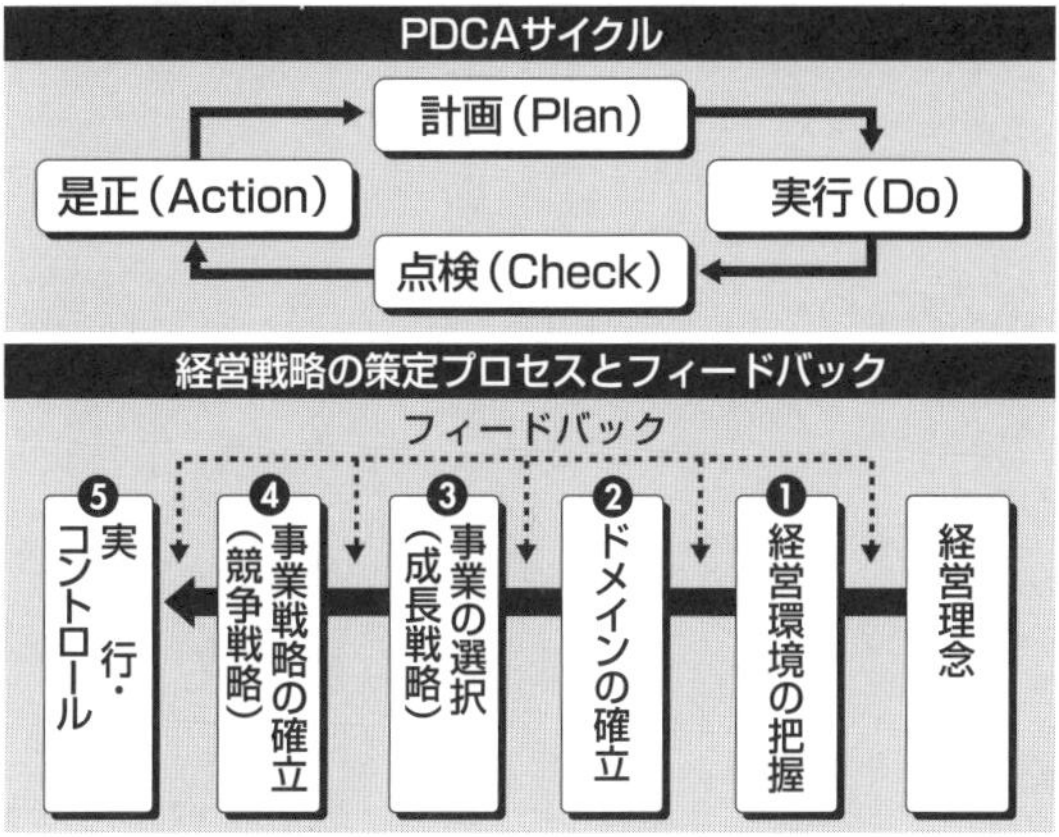

す。経営指標分析は、財務諸表からの各種の指標を計算し、時系列比較や、同業他社平均との比較を行ったり、損益分岐点分析を行って原因を分析します。

また、定性的なコントロールの代表的なものには、戦略コントロールがあります。これは定期的に企業の市場に対するアプローチ方法について再検討、再評価を行うもので、市場、製品、チャネル、に関して企業は最善の機会を追求しているかを、評価尺度を使ったマーケティングの有効性チェックリストを利用して分析し、次期の戦略策定が行われることになります。

INDEX（和英対照索引）

ID	キーワード（日本語）	英訳対照	科目
1	1株あたり純利益(EPS)	*Earning Per Share*	Accounting
2	1つのセグメントへの集中	*Single Segment Cocentration*	Marketing
3	3つの基本戦略	*Three Generic Strategies*	Strategy
4	5つの力(ファイブフォース)分析	*Five Forces Analysis*	Strategy
5	7Sモデル（セブンエスモデル）	*Seven S Model*	Strategy
6	KJ法	*KJ method*	Critical Thinking
7	KT法	*KT method*	Critical Thinking
8	MM理論	*Modigliani & Miller Proposition*	Finance
9	NM法	*NM Method*	Critical Thinking
10	Off-JT	*Off the Job Training*	HRM & OB
11	OJT	*On the Job Training*	HRM & OB
12	PM理論	*PM Theory*	HRM & OB
13	POS(商品の販売時点)	*Point Of Sales*	Marketing
14	SWOT分析	*SWOT Analysis*	Strategy
15	X理論、Y理論	*X-theory、Y-theory*	HRM & OB
16	後入先出法(LIFO)	*Last In First Out*	Accounting
17	粗利益	*Gross Profit*	Accounting
18	安全と安定	*Safety & Security*	HRM & OB
19	アンゾフマトリクス	*Ansoff Matrix*	Strategy
20	いくつかのセグメントへの特化	*Selective Specialization*	Marketing
21	インセンティブ	*Incentives*	HRM & OB
22	インベスターズリレーション(IR)	*Investor(s) Relations*	Strategy
23	売上総利益	*Gross Margin*	Accounting
24	受取手形	*Notes Receivable*	Accounting
25	売掛金	*Account Receivable*	Accounting
26	営業利益	*Operating Profit*	Accounting
27	演繹法	*Deductive Method*	Critical Thinking
28	エンパワーメント	*Empowerment*	HRM & OB
29	オフバランス	*Off Balance*	Accounting

30	親会社	*Parent Company*	Accounting
31	買掛金	*Account Payable*	Accounting
32	回帰分析	*Regression Analysis*	Marketing
33	回収期間	*Payback Period*	Finance
34	価格差別化	*Price Discrimination*	Marketing
35	価格戦略	*Pricing Strategy*	Marketing
36	貸し出し審査	*Credit Analysis*	Finance
37	カスタマーリレーションシップマネジメント(CRM)	*Customer Relationship Manegement*	Marketing
38	価値提案	*Value Proposition*	Marketing
39	価値分析(VA)	*Value Analysis*	Finance
40	活動基準管理(ABM)	*Activity Based Management*	Accounting
41	活動基準原価計算(ABC)	*Activity Based Costing*	Accounting
42	活動基準原価計算分析(ABC分析)	*ABC analysis*	Accounting
43	加重平均資本コスト(WACC)	*Weighted_Average Cost of Capital*	Finance
44	合併買収(M&A)	*Merger and Acquisition*	Finance
45	金のなる木(キャッシュカウ)	*Cash Cows*	Strategy
46	株価収益率(PER)	*Price Earning Ratio*	Finance
47	株式公開買付け(TOB)	*Take-Over Bid*	Finance
48	株式持合い	*Cross Shareholding*	Accounting
49	株主資本利益率(ROE)	*Return On Equity*	Accounting
50	感受性訓練(ST)	*Sensitivity Training*	HRM & OB
51	間接法	*Indirect Method*	Accounting
52	完全市場	*Perfect Financial Market*	Finance
53	管理会計	*Managerial Accounting*	Accounting
54	機会	*Opportunities*	Strategy
55	機会コスト(ハードルレート)	*Opportunity Cost (Hurdle Rate)*	Finance
56	帰属意識と愛情	*Belongingness & Love*	HRM & OB
57	期待収益率	*Expected Returns*	Finance
58	期待理論	*Expectancy Theory*	HRM & OB
59	帰納法	*Inductive Method*	Critical Thinking
60	規模の経済	*Economies of Scale*	Marketing

61	キャッシュフロー(CF)	*Cash Flow*	Accounting
62	キャッシュフロー計算書(CFS)	*Cash Flow Statement*	Accounting
63	キャップ・エム(CAPM)	*Capital Asset Pricing Model*	Finance
64	キャリア開発プログラム(CDP)	*Career Development Program*	HRM & OB
65	脅威	*Threats*	Strategy
66	共同ブランド戦略	*Co-brand Strategy*	Marketing
67	経済付加価値™ (EVA™)	*Economic Value Added™*	Finance
68	経常利益	*Recurring Profit*	Accounting
69	限界利益	*Marginal Income*	Accounting
70	減価償却	*Depreciation*	Accounting
71	原価法	*Cost Method*	Accounting
72	現金・預金	*Cash*	Accounting
73	コアコンピタンス	*Core Competence*	Strategy
74	効率的市場	*Efficient Market*	Finance
75	コーポレートアイデンティティ(CI)	*Corporate Identity*	Marketing
76	子会社	*Subsidiary*	Accounting
77	顧客評価	*Customer Valuation*	Marketing
78	顧客満足(CS)	*Customer Satisfaction*	Marketing
79	コストリーダーシップ	*Cost Leadership*	Strategy
80	個別リスク(非システマティックリスク)	*Unique Risk (Unsystematic Risk)*	Finance
81	サービス差別化	*Service Differentiation*	Marketing
82	在庫	*Inventory*	Accounting
83	財務会計	*Financial Accounting*	Accounting
84	財務諸表	*Fiancial Statement*	Accounting
85	先入先出法(FIFO)	*First In First Out*	Accounting
86	サプライチェーンマネジメント(SCM)	*Supply Chain Management*	Strategy
87	差別化戦略	*Differentiation Strategy*	Marketing
88	残留(最終、救済、スクラップ、売却)価値	*Residual (Terminal, Salvage, Scrap, Disposal) value*	Accounting
89	時間価値	*Time Value*	Finance
90	事業多角化戦略	*Unrelated Diversification Strategy*	Strategy
91	シグナリング	*Signaling*	Strategy

92	自己実現	*Self-Actualization*	HRM & OB
93	資産	*Assets*	Accounting
94	自社株買い	*Stock Repurchase*	Accounting
95	収益性分析	*Profitability Analysis*	Accounting
96	市場開発戦略	*Market Development Strategy*	Strategy
97	市場調査	*Marketing Research*	Marketing
98	市場付加価値(MVA)	*Market Value Added*	Finance
99	市場リスク	*Market Risk*	Finance
100	市場リスク (システマティックリスク)	*Market Risk (Systematic Risk)*	Finance
101	支配率	*Contorolling Interest*	Accounting
102	資本	*Equity*	Accounting
103	資本金	*Common Stock*	Accounting
104	資本構成	*Capital Structure*	Finance
105	集中(フォーカス)	*Focus*	Strategy
106	証券化	*Securitization*	Accounting
107	商標	*Trademarks*	Accounting
108	正味現在価値(NPV)	*Net Present Value*	Finance
109	剰余金	*Retained Earning*	Accounting
110	新規参入事業者	*New Entrants*	Strategy
111	新製品開発	*New Product Cycle*	Marketing
112	新製品開発戦略	*New Product Development Strategy*	Strategy
113	人的資源開発(HRD)	*Human Resource Development*	HRM & OB
114	人的資源管理(HRM)	*Human Resource Management*	HRM & OB
115	浸透戦略 (既存製品・市場強化戦略)	*Penetration Strategy*	Strategy
116	新ブランド戦略	*New Brand Strategy*	Marketing
117	衰退期	*Decline*	Marketing
118	垂直統合	*Vertical Integration*	Strategy
119	水平統合	*Horizontal Integration*	Strategy
120	スタッフィングプロセス	*Staffing Process*	HRM & OB
121	ステークホルダー	*Stakeholder*	Strategy
122	成熟期	*Maturity*	Marketing

123	成長期	*Growth*	Marketing
124	製品差別化	*Product Differentiation*	Marketing
125	製品特化	*Product Specialization*	Marketing
126	セールスフォースオートメーション(SFA)	*Sales Force Automation*	Marketing
127	セグメンテーション	*Segmentation*	Marketing
128	戦略的事業単位(SBU)	*Strategic Business Unit*	HRM & OB
129	戦略的提携	*Strategic Alliance*	Strategy
130	戦略優位性	*Strategic Advantages*	Strategy
131	総資産利益率(ROA)	*Return On Asset*	Accounting
132	組織開発(OD)	*Organaization Development*	HRM & OB
133	損益計算書(P/L)	*Income (Profit & Loss) Statement*	Accounting
134	損益分岐点分析	*Break Even Analysis*	Accounting
135	尊重	*Esteem*	HRM & OB
136	ターゲティング	*Targeting*	Marketing
137	貸借対照表(B/S)	*Balance Sheet*	Accounting
138	代替品	*Substitute Products*	Strategy
139	ダイレクト・メール広告(DM)	*Direct Mail*	Marketing
140	棚卸資産	*Inventories*	Accounting
141	長期負債	*Long Term Debt*	Accounting
142	直接金融	*Direct Financing*	Finance
143	直接法	*Direct Method*	Accounting
144	著作権	*Copyrights*	Accounting
145	強み	*Strengths*	Strategy
146	定額法	*Straight Line Depreciation*	Accounting
147	定率法	*Accelerated Depreciation*	Accounting
148	当座比率	*Current Ratio*	Accounting
149	投資収益率(ROI)	*Return On Investments*	Accounting
150	導入期	*Introduction*	Marketing
151	特許	*Patents*	Accounting
152	取締役会	*Board of Directors*	HRM & OB
153	内部収益率(IRR)	*Internal Rate of Return*	Finance

154	ナレッジマネジメント	*Knowledge Management*	Strategy
155	人間工学	*Ergonomics*	Critical Thinking
156	暖簾	*Goodwill*	Accounting
157	配当収益率	*Dividend - Yield*	Accounting
158	配当性向	*Dividend - Payout*	Accounting
159	配当政策	*Dividend Policy*	Finance
160	発生主義	*Accrual Accouting*	Accounting
161	花形(スター)	*Star*	Strategy
162	バランススコアカード	*Balanced Scorecard*	Strategy
163	バリューチェーン	*Value Chain*	Strategy
164	範囲の経済性	*Economies of Scope*	Marketing
165	標準偏差	*Standard Deviation*	Finance
166	負債	*Liabilities*	Accounting
167	物理的･肉体的欲求	*Physiological*	HRM & OB
168	ブランドエクイティ	*Brand Equity*	Marketing
169	ブランドエクステンション戦略	*Brand Extension Strategy*	Marketing
170	フリーキャッシュフロー (FCF)	*Free Cash Flow*	Finance
171	フルマーケットカバー	*Full Market Coverage*	Marketing
172	プロダクトポートフォリオ (PPM)	*Product Portfolio Management*	Strategy
173	プロダクトライフサイクル	*Product Life Cycle*	Marketing
174	平均法	*Average Method*	Accounting
175	ベータ(リスク指標β)	*Beta*	Finance
176	法定準備金	*Legal Reserves*	Accounting
177	ポートフォリオ	*Portfolio*	Finance
178	ポジショニング	*Positioning*	Marketing
179	マーケット特化	*Market Specialization*	Marketing
180	マーケティングミックス	*Marketing Mix*	Marketing
181	埋没コスト	*Sunk Cost*	Finance
182	前払い費用	*Prepaid Expenses*	Accounting
183	負け犬(ドッグ)	*Dog*	Strategy
184	マスマーケティング	*Mass Marketing*	Marketing

185	マズローの欲求5段階説	*Maslow's Hierarchy of Needs*	HRM & OB
186	マトリックス組織	*Matrix Organization*	Strategy
187	マネジメントバイアウト（MBO**）	*Management Buy Out*	Finance
188	マルチブランド戦略	*Multi-brand Strategy*	Marketing
189	無形資産	*Intangible Assets*	Accounting
190	目標管理（MBO*）	*Management By Objectives*	HRM & OB
191	持分法	*Equity Method*	Accounting
192	モチベーション	*Motivation*	HRM & OB
193	問題解決	*Problem Solving*	Critical Thinking
194	問題解決リサーチ	*Problem Solving Research*	Marketing
195	問題児（クエスチョン）	*Question*	Strategy
196	問題認識リサーチ	*Problem Identification Research*	Marketing
197	有形資産	*Tangible Assets*	Accounting
198	欲求理論	*Needs Theory*	HRM & OB
199	弱み	*Weaknesses*	Strategy
200	ラインエクステンション戦略	*Line Extension Strategy*	Marketing
201	リスク管理	*Risk Management*	Finance
202	リスクフリーレート	*Risk Free Rate*	Finance
203	流動比率	*Quick Ratio*	Accounting
204	レバレッジド・バイアウト（LBO）	*Leverage Buy Out*	Finance
205	連結財務諸表	*Consolidated Financial Statements*	Accounting
206	ロジックツリー	*Logic Tree*	Critical Thinking
207	割引回収期間	*Discounted Payback Period*	Finance
208	割引キャッシュフロー法（DCF）	*Discounted Cash Flow*	Finance
209	割引率	*Discount Rate*	Finance
210	ワントゥワンマーケティング	*One to One Marketing*	Marketing

■参考文献一覧

D.A. アーカー著、野中郁次郎他訳

『戦略市場経営』ダイヤモンド社、1986年

D.A. アーカー著、陶山計介他訳

『ブランド・エクイティ戦略』ダイヤモンド社、1994年

D.A. アーカー著、今枝昌宏訳

『戦略立案ハンドブック』東洋経済新報社、2002年

G. ハメル、C.K. プラハラード著、一條和生訳

『コア・コンピタンス経営』日本経済新聞社、1995年

Henry Mintzberg, *The Structuring of Organizations,* Prentice-Hall,1979

J.C. アベグレン、ボストン・コンサルティング・グループ編著

『ポートフォリオ戦略』プレジデント社、1977年

J.R. ガルブレイス、D.A. ネサンソン著、岸田民樹訳

『経営戦略と組織デザイン』白桃書房、1989年

Kotler,Armstrong, *Principles of Marketing,* Sixth edition,Prentice-Hal1,1994

K.G. パレプ、V.L. バーナード、P.M. ヒーリー著、斉藤氏静樹監訳、筒井知彦他訳

『企業分析入門』東京大学出版会、1999年

L. トレーシー著、広井孝訳『組織行動論』同文館、1991年

M.E. ポーター著、土岐坤訳『競争優位の戦略』ダイヤモンド社、1985年

M.E. ポーター著、土岐坤他訳

『新訂　競争の戦略』ダイヤモンド社、1995年

M.E. ポーター著、竹内弘高訳

『競争戦略論　Ⅰ、Ⅱ』ダイヤモンド社、1999年

Michael.E.Porter, *Competitive Strategy* ,Free Press,1980

P.A. アージェンティ著、慶應ビジネススクール経営研究会監訳、吉川明希訳

『MBA 速習コース』日本経済新聞社、1997年

T. レビット著、土岐坤訳

『マーケティング・イマジネーション』ダイヤモンド社、1984年

アート・マクニール、ジム・クレーマー著、柳平彬訳

『リーダーシップが企業を変える』創元社、1994年

イゴール・アンゾフ著、中村元一、黒田哲彦、崔大龍監訳

『戦略経営の実践原理』ダイヤモンド社、1994年

インパルタ原案・原作、グローバルタスクフォース著訳

『マッキンゼーから生まれたMBA 世界最強の戦略思考』総合法令出版、2002年

ガース・サローナー、アンドレア・シェパード、ジョエル・ポドルニー著、石倉洋子訳

『経営戦略論』東洋経済新報社、2002年
グロービス著『MBA マーケティング』ダイヤモンド社、1997年
グロービス著『[新版]MBA マネジメント・ブック』ダイヤモンド社、2002年
グロービス編『MBA 経営戦略』ダイヤモンド社、1999年
ジェイムズ・C・コリンズ、ジェリー・I・ポラス著、山岡洋一訳
『ビジョナリー・カンパニー』、日経 BP 出版センター、1995年
ジョン・P・コッター著、黒田由紀子訳
『リーダーシップ論――いま何をすべきか』ダイヤモンド社、1999年
ステファン・ロビンス著、高木晴夫監訳、永井裕久他訳
『組織行動のマネジメント』ダイヤモンド社、1997年
StephenP.Robbins,*Organizational Behavior*,9th edition,Prentice Hall,2001
トム・コープランド、テイム・コラー、ジャック・ミュリン著、伊藤邦雄訳
『企業評価と戦略経営――キャッシュフロー経営への転換（第 2 版）』日本経済新聞社、1999年
ドーン・イアコブッチ編著、奥村昭博他訳
『ノースウエスタン大学大学院ケロッグ・スクール　マーケティング戦略論』ダイヤモンド社、2001年
ドン・ペパーズ、マーサ・ロジャース著、井関利明他訳
『ONE to ONE 企業戦略』ダイヤモンド社、1997年
ピーター・M・センゲ著、守部信之訳
『最強組織の法則』徳間書店、1995年
フィリップ・コトラー著、小坂恕、疋田聡、三村優美子訳
『マーケテイング・マネジメント（第7版）』プレジデント社、1996年
フィリップ・コトラー著、木村達也訳
『コトラーの戦略的マーケティング』ダイヤモンド社、2000年
ブルナー、エーカー、フリーマン他著、嶋口充輝、吉川明希訳
『MBA 講座　経営』日本経済新聞社、1998年
マイケル・ハマー、ジェイムズ・チャンピー著、野中郁次郎訳
『リエンジニアリング革命』日本経済新聞社、1993年
リタ・マグレイス、イアン・マクラミン著、大江建監訳、社内起業研究会訳
『アントレプレナーの戦略思考技術』ダイヤモンド社、2002年
ウォートンビジネススクール、IMD 著
『MBA 全集1-6、（ゼネラルマネジャーの役割、マーケティング、アカウンティング、ファイナンス、経営戦略、リーダーシップと倫理）』ダイヤモンド社、1998-1999年
石井、奥村、加護野、野中著『経営戦略論　（新版）』、有斐閣、1996年
伊丹敬之、加護野忠男著

『ゼミナール経営学入門(改訂版)』日本経済新聞社、1993年
大滝精一、金井一頼、山田英夫、岩田聡著『経営戦略』有斐閣、1997年
工藤秀幸著『経営の知識』日本経済新聞社、1985年
国領二郎著『オープン・ネットワーク経営』日本経済新聞社、1995年
小林喜一郎著『経営戦略の理論と応用』白桃書房、1999年
斉藤嘉則著『戦略シナリオ「思考と技術」』東洋経済新報社、1998年
嶋口充輝、石井淳蔵著『現代マーケティング[新版]』有斐閣、1995年
田尾雅夫著『モチベーション入門』日本経済新聞社、1993年
土井秀生著『上級 MBA 講座、グローバル戦略のすべて』日経 BP 社、1998年
土屋守章著『現代経営学入門』新世社、1994年
西山茂著『企業分析シナリオ』東洋経済新報社、2001年
野中郁次郎著『経営管理』日本経済新聞社、1996年
松下芳生編、Team MaRIVE 著
『マーケティング戦略ハンドブック』PHP 研究所、2001年
松田修一著
『ビジネスゼミナール　会社の読み方入門〈新版〉』日本経済新聞社、1999年
森田松太郎著
『ビジネスゼミナール　新版　経営分析入門』日本経済新聞社、1990年
山田英夫著『デファクト・スタンダードの経営戦略』中公新書、1999年
山根節、山田英夫、根来龍之著
『日経ビジネスで学ぶ経営戦略の考え方』日本経済新聞社、1993年

■監修
青井倫一（あおい・みちかず）
東京大学工学部、同大学院経済学研究科博士課程を経て、ハーバード大学ビジネススクール博士課程修了、同経営学博士。慶應義塾大学ビジネススクール助教授、教授、研究科委員長兼校長、慶應義塾評議員を歴任して2011年慶應義塾大学名誉教授。現在、明治大学専門職大学院グローバル・ビジネス科教授。

■編著者
グローバルタスクフォース
事業部マネジャーや管理本部長、取締役や監査役を含む主要ラインマネジメント層の採用代替手段として、常駐チームでの事業拡大・再生を支援する経営コンサルティング会社。2001年より上場企業の事業拡大・企業再生を実施。上場廃止となった大手インターネット関連企業グループの再生のほか、約50のプロジェクトを遂行する実績を持つ。主な著書に「通勤大学MBA」シリーズ、『ポーター教授「競争の戦略入門」』（以上、総合法令出版）、『わかる！MBAマーケティング』『早わかりIFRS』（以上、PHP研究所）、『トップMBAの必読文献』（東洋経済新報社）など約50冊がある。世界の主要ビジネススクールが共同で運営する世界最大の公式MBA組織“Global Workplace”日本支部を兼務。
URL http://www.global-taskforce.net

通勤大学文庫
通勤大学MBA7　ストラテジー
2002年10月8日　初版発行
2016年9月1日　11刷発行

監　修　青井倫一
著　者　グローバルタスクフォース株式会社
装　幀　倉田明典
発行者　野村直克
発行所　総合法令出版株式会社
〒103-0001　東京都中央区日本橋小伝馬町15-18
ユニゾ小伝馬町ビル9階
電話　03-5623-5121㈹

印刷・製本　祥文社印刷株式会社
ISBN978-4-89346-766-9

総合法令出版ホームページ　http://www.horei.com/

通勤電車で楽しく学べる新書サイズのビジネス書

「通勤大学文庫」シリーズ

通勤大学MBAシリーズ　グローバルタスクフォース=著

◎マネジメント（新版）￥ 893　◎マーケティング（新版）￥ 872　◎クリティカルシンキング（新版）￥ 872　◎アカウンティング ￥ 872　◎コーポレートファイナンス ￥ 872　◎ヒューマンリソース ￥872　◎ストラテジー ￥872　◎Q&A ケーススタディ ￥ 935　◎経済学 ￥935　◎ゲーム理論 ￥ 935　◎MOT テクノロジーマネジメント ￥935　◎メンタルマネジメント ￥935　◎統計学 ￥935　◎クリエイティブシンキング ￥ 935　◎ブランディング ￥935

通勤大学実践MBAシリーズ　グローバルタスクフォース=著

◎決算書 ￥935　◎店舗経営 ￥935　◎事業計画書 ￥924
◎商品・価格戦略　￥935　◎戦略営業 ￥935　◎戦略物流　￥935

通勤大学図解PMコース　中嶋秀隆=監修

◎プロジェクトマネジメント 理論編 ￥935　◎プロジェクトマネジメント 実践編 ￥935

通勤大学図解法律コース　総合法令出版=編

◎ビジネスマンのための法律知識 ￥893　◎管理職のための法律知識 ￥893　◎取締役のための法律知識 ￥893　◎人事部のための法律知識 ￥893　◎店長のための法律知識 ￥893　◎営業部のための法律知識 ￥893

通勤大学図解会計コース　澤田和明=著

◎財務会計 ￥935　◎管理会計 ￥935　◎CF（キャッシュフロー）会計 ￥935
◎XBRL ￥935　◎IFRS ￥935

通勤大学基礎コース

◎「話し方」の技術 ￥918　◎相談の技術 大畠常靖=著 ￥935
◎学ぶ力 ハイブロー武蔵=著 ￥ 903　◎国際派ビジネスマンのマナー講座 ペマ・ギャルポ=著 ￥1000

通勤大学図解・速習

◎ 孫子の兵法 ハイブロー武蔵=叢小榕= 監修 ￥830　◎ 新訳 学問のすすめ 福沢諭吉 =著 ハイブロー武蔵=現代語訳・解説 ￥893　◎ 新訳 武士道 新渡戸稲造=著 ハイブロー武蔵=現代語訳・解説 ￥840　◎ 松陰の教え ハイブロー武蔵=著 ￥830　◎論語 礼ノ巻 ハイブロー武蔵=著 ￥ 840　◎論語 義ノ巻 ハイブロー武蔵=著 ￥ 840　◎論語 仁ノ巻 ハイブロー武蔵=著 ￥840